CROSSWORD[Ⓩ]
Over 200 puzzles

 LAKE PRESS

Lake Press Pty Ltd
5 Burwood Road
Hawthorn VIC 3122 Australia
www.lakepress.com.au

Copyright ©Lake Press Pty Ltd, 2019
Puzzles ©Any Puzzle Media Ltd, 2019
All rights reserved

First published 2019
Printed in China 5 4 3 2 1
LP19 337

ACROSS

1. Festival; celebration
4. Fragrant
8. Spoken
9. Filled with excitement
10. Stout pole on a ship
11. Ladies' man
13. Very memorable
16. Bug
19. Bell sound
20. Sold
22. Hidden hacking software
23. Strongly scented purple flower
24. Segments of the week

DOWN

2. Revelation
3. Official trade ban
4. Holy memento
5. Down payment
6. Citrus fruit
7. Born
12. Without pay
14. Protected
15. Humanlike robot
17. Unaffiliated record label
18. Go-ahead key
21. Pilot's prediction (inits)

ACROSS

7. Indian language
9. Fertile desert areas
10. Actor, McKellen
11. Extremely funny
12. Academy award
14. Smallest taxonomic group
16. Less reputable
18. Covered on the inside
19. Weak; feeble
20. Female pig
21. Buenos Aires dance
22. Brave

DOWN

1. Potassium-rich fruits
2. Soon
3. Suds
4. Route
5. Finnic language
6. Employs
8. Drew pictures for
13. Smashing
15. Obliquely
17. Back to back (3 wds)
18. Plan; map
19. As far as (2 wds)
20. Arty Manhattan district

ACROSS

1. Automatons
4. Small, sealed bag
9. Relief player
10. Emergency transport vehicle
11. Varieties
12. Containing mineral deposits
14. Offer evidence about a crime (2 wds)
17. Movements of air in the lungs
18. Airport scanning system
20. Opening
22. Sharp turn
23. Furnish
24. Position

DOWN

1. Reverts to factory state
2. Jazz variant
3. Temporary
5. Afflict
6. Animal trainer
7. His or her
8. Command to forsake a vessel (2 wds)
13. Utterly
15. Coincide
16. Braking parachute
17. Melancholy feelings
19. Twelve
21. NCO rank (abbr)

ACROSS

1. Bans
5. Not competent
9. Fittingly
10. Fresh; different
11. Siamese
12. Global
16. Two-wheeled carriages
17. Legible
19. Employment perk (2 wds)
21. Emerald or aquamarine, eg
22. Pursuing

DOWN

2. Specialist
3. Battles
4. Come to maturity
6. To no degree
7. Type of neutron star
8. Bluish-purple
11. Menaces
13. Hospital carers
14. Savage
15. England, in bygone days
18. Hebrew 'A'
20. A vote against

ACROSS

8. Delete
9. Underwater missile
10. Constructed again
11. Prize
12. Honorific, as in a title (2 wds)
14. Can
15. Vehicle type for British roads (inits)
16. Restlessly eager
19. Troop
21. Proposed
23. Someone who preys on others
24. Humped mammal

DOWN

1. Extent
2. Animosity (2 wds)
3. Bigfoot's cousin?
4. Inert
5. Appear suddenly (2 wds)
6. Ewe's-milk cheese
7. Gilt
13. Loyal
14. Propositions
15. Eliminate
17. Suitable; appropriate
18. Walk like a baby
20. Drum volley
22. Visage

ACROSS

1. Flexible compromise (3 wds)
9. Physical convulsion due to the flow of current (2 wds)
10. Cuts off
12. Surplus
14. Trail
15. Examine
19. Cook
20. Second personality (2 wds)
22. Ecological
24. Basically

DOWN

2. Eisenhower
3. Way in
4. Collared
5. Trial
6. Ken
7. Reddish-brown
8. Glide over ice
11. Us
13. And so on (2 wds)
16. Hurt
17. Heavenly body
18. Earth
21. Maple or spruce
23. Lens-based metering system (inits)

ACROSS

1. Aloft
5. Be part of a group
8. Untie
9. Together (2 wds)
10. *Bad Romance* singer (2 wds)
11. Not us?
12. Securely closed
14. Cloister
16. Group of criminals
18. Variant printings
20. Range seen in a rainbow
21. Stun
22. Poll
23. Has a desire

DOWN

2. Connection
3. Tusk substance
4. Suffer stoically (4 wds)
5. Even so (5 wds)
6. Crazy person
7. Nephew's sister
13. Reasoned
15. Inhabitant
17. First Greek letter
19. New Delhi country

ACROSS

1. Surface rock formation
5. Move fast, like clouds
10. Seat that opens like a lid
11. Assists with a crime
12. Split in two
13. Go back
15. Beginner
17. Rarely encountered
19. CDEFGABC, perhaps
20. Form of oxygen
23. Rustic
24. Moving suddenly and rapidly
25. Gemstone
26. Counsels

DOWN

2. Up to
3. With the intention of making a profit
4. Possessors
6. Less cloudy
7. Fine, dry powder
8. Zero
9. Done deal (2 wds)
14. Retaliation
16. Sovereign's stand-in
18. Grabbed
21. Chilled (2 wds)
22. Therefore

ACROSS

1. Michaelmas daisy genus
4. Roman god of fire
10. Liked better
11. Kelly, Australian outlaw
12. Reference to prior text in a legal work
13. Song words
14. Strictly; according to the facts
18. Acquire
20. Ward off
23. 'Not yet public' (inits)
24. Exaggerated theatrics
25. Avaricious
26. Oneness

DOWN

2. Brush
3. Ocular cleansing lotion
5. Below
6. Mocking
7. Graph point
8. Sudden convulsion
9. Fantastically well
15. Hug
16. Forsake
17. Wander
19. Focused
21. Make law
22. Hart

ACROSS

1. Arm muscles
4. Sight
9. Nada
10. Novices
11. Jewish scholar
12. Critiques in the media
14. Island chain
17. Raised painting technique
18. Mean
20. Rotating gate
22. Former pope
23. Set of things working together
24. Clear a river bed

DOWN

1. Base two
2. VIP
3. Prints
5. Lodge
6. Polar menace
7. Snoops
8. Fear of crowds
13. Someone who works without pay
15. Accounts
16. Fertilized ovum
17. Specks
19. Unmoving
21. Her

ACROSS

1. Indian butter
4. Treats with contempt
8. Handle incorrectly
9. Surrounded by
10. Codger
11. Strong drink resembling gin
13. Elucidation
16. Twelve o'clock
19. Agenda point
20. Repeatedly pester
22. Refrain
23. Anniversary of being born
24. Hard, white fat

DOWN

2. The masses (2 wds)
3. Earth's midriff?
4. Judges
5. Vivid
6. Inner self
7. The nineteenth letter
12. Sue
14. Reckoned
15. Clothes fitters
17. Bother (2 wds)
18. Sticky
21. Boxer, Muhammad

ACROSS

1. Engross
5. Washes
8. Kick out
9. Rectangle-based graph (2 wds)
10. Twig (2 wds)
11. French 'dear'
12. As tiny as can be
14. Bound
16. Questions
18. Connective tissue
20. Excessively sensitive
21. ETs' crafts (abbr)
22. Bother
23. Recently

DOWN

2. Large, lavish meal
3. Eight-person choir
4. The Black Death (2 wds)
5. In time order
6. Moral
7. Viking
13. Becomes expert in
15. Score against yourself, in soccer (2 wds)
17. Ballroom dance
19. Climb onto

ACROSS

1. Continue doing (2 wds)
5. Comply with
9. Exact
10. Avoided work
11. Curved Gurkha knife
12. Mild antiseptic
14. Table handkerchief
16. Swiss city
18. Minds
19. Arise
22. At the side of
23. Large woods
24. Understood
25. By the time mentioned

DOWN

2. Miley Cyrus move
3. Picking apart
4. Essay
6. Equilibrium
7. Luke Skywalker's mentor
8. Skewering
10. Eventually (3 wds)
13. Most beautiful
15. Aim
17. Handy
20. Boxed
21. Dearth

ACROSS

8. Component part
9. Sound
10. Additional
11. Planned
12. The art of code-writing
16. Lowest possible temperature (2 wds)
20. Move forward
23. Manners of expression
24. Distasteful riches
25. Set off

DOWN

1. Yielded
2. Brings back
3. Renovate
4. Breeding stallion
5. Less experienced
6. Poems
7. Farewell
13. Not in
14. Basic theory; conceptual framework
15. Adeptly
17. Key part of spectacles
18. Reanimated body
19. Take by force
21. Immoral habit
22. Feeds

ACROSS

1. Uttered
4. Reference calendar
9. Pin to the floor (2 wds)
10. Arterial blockage
11. Revolve
12. Celtic language
13. Nocturnal birds
15. A Pentium, eg (inits)
16. College quarters
17. Cowboy's rope
19. Formally confer a rank
21. Sandwich dressing
22. Relating to a meal
23. One hundred years
24. Summed up

DOWN

2. Camera image
3. Abducts
5. Lengthways
6. Digital letter code (inits)
7. Further
8. Suffer a defeat (3 wds)
14. Well-being
16. Separated
18. Animal's nose
20. Surplus

ACROSS

1. Sputters
4. Omit something (2 wds)
10. Instrument often used to play jazz
11. Ogle
12. Doctrine
13. Paper wallet
14. Stupefying munition (2 wds)
18. Mixed cereal breakfast
20. Rubbish
23. Rascal
24. Principal church
25. Hate
26. Action words

DOWN

2. Small fairy
3. Tropical cyclone
5. Solemn bell ring
6. Make-believe
7. That group
8. Unnerve: ___ out
9. Those that comply with social norms
15. Brass instrument
16. Not any place
17. Greeting
19. Cults
21. Bush
22. Tie; attach to

16

ACROSS

7. Western spelling for Japanese
8. 'Yes'
9. Strong criticism
10. Legitimate target (2 wds)
11. Feeling shame
14. Parent's paternal parent
18. Sowing
19. Electronic alert sound
20. Claim
21. Aim

DOWN

1. Vehicle light used in misty conditions (2 wds)
2. Pull with a jerk
3. Dissent
4. Half the diameter
5. Snippet
6. Subsidiary theorem in a proof
12. Organized
13. Rejuvenated
15. Sounds
16. Quarrels
17. Cunningly
19. Arf

ACROSS

8. Small byways
9. Not good at mixing
10. Large retail outlets
11. Individual leaf of paper
12. Mass ceremony
14. Sibling
15. Emergency call (inits)
16. Quality
19. Solo
21. Against
23. Completing the 'i's?
24. Plants grow from them

DOWN

1. Swindle
2. Examines
3. The former Soviet Union (inits)
4. Bush expedition
5. Wedding paper scraps
6. Lab bottle
7. Inundates
13. Excelling at school
14. Crushed
15. Arises
17. However
18. Firstborn
20. Picks, with 'for'
22. Leaning Tower city

ACROSS

1. Relating to the physical features of an area
8. Exams
9. Trattoria dumplings
10. Very infrequent
11. To a degree
14. Required
15. Strong aversion
17. Ambulance destination
18. Baby powder
20. Disregard
22. Sum up
23. Especially

DOWN

1. Sickening
2. Commentators
3. Peril
4. Common type of dove
5. Valentine's message (3 wds)
6. Bend
7. Formerly
12. From now on
13. Reserved
16. Milk-related
19. Web code (inits)
21. West Indian state

ACROSS

1. Rushes
5. Having existed for a long while
8. Hindu dress
9. Rucksack
10. Modified
11. Egyptian river
12. Probable
14. Placed inside another object
16. Repeat
18. Tacit
20. Women's apartments in an Ottoman palace
21. Short, thin branch
22. Stalk vegetable
23. Adequate

DOWN

2. Bestowed
3. Japanese poem
4. To a great extent
5. Clumsy
6. Grows
7. Nearby
13. Holding space
15. Changing text
17. Greek island
19. Opening

ACROSS

1. Cancel
4. Define
9. Cabbage relative
10. Touch-and-go
11. Incite (2 wds)
12. Copious
13. Common ornamental trees
15. Muttered criticism
16. A hundredth of a euro
17. Smarter
19. Eager
21. Second Greek letter
22. Acclaim
23. Supposed
24. Evade

DOWN

2. Rupture
3. LPs
5. Financial altruism
6. Firm and crunchy
7. Mid-teens year
8. Digital challenge (2 wds)
14. Attorneys
16. Elixir
18. Major mix-up, informally
20. Pried

ACROSS

1. Block of frozen water (2 wds)
5. Long-necked waterbird
10. Rendered senseless
11. Diner
12. Passage between seats
13. Hire
15. Uncover
17. Very drunk (slang)
19. Speckled
20. Spanish snacks
23. Italian cathedral
24. Add in
25. Heavy floor mats
26. Never dating

DOWN

2. Hints
3. Dialogue
4. Animal frames
6. Lacking
7. Geek
8. Lands
9. Of foreign policy science
14. Louder
16. Extend the duration of
18. Summing
21. Cord ends
22. Baltic Sea river

ACROSS

7. Maybe
9. Stupefy
10. 'The reigning king'
11. Election nominee
12. Relating to the past (archaic)
14. Whaling spear
16. Late October star sign
18. Former
19. Classifying
20. Early computing pioneer, Lovelace
21. Push
22. Health check

DOWN

1. Not legitimate
2. Main point
3. Small bird of prey
4. Simpler
5. Tubular pasta
6. Yield
8. Operation on the same time scale
13. Wedge to keep an entrance open
15. Usually
17. Supply
18. Many-tiered temple
19. And
20. Curves

ACROSS

1. Laceless shoe
4. Move apart
9. Web address (inits)
10. Honestly
11. Ornamental headdress
12. From Moscow, eg
14. Shift the blame (3 wds)
17. Supposes
18. Dense
20. Seasonal animal movement
22. Charged atom
23. Wirelesses
24. Almost

DOWN

1. Origin
2. Ice house
3. Living things
5. Internal PC expansion connector (inits)
6. Mournful
7. Prominent member of a field
8. Acting so as to bring about chaos
13. Material
15. Exacted retribution
16. Thin
17. *Halo* fan?
19. More glacial
21. Earlier

ACROSS

8. Doom
9. Rustic paradise
10. Implied
11. Furthest away
12. Highest-ranking British officer (2 wds)
16. Numeric constants
20. Cleft
23. Continental sea
24. Fibbing
25. Partitions

DOWN

1. Sharp
2. Engrave
3. Of the mind
4. Know about (2 wds)
5. Full of resentment
6. Printing error?
7. In total (2 wds)
13. Science masters degree (abbr)
14. Impetuous people
15. Freezing
17. Periphery
18. Develop over time
19. Anxiety
21. Issue
22. Whirling mist

ACROSS

1. Bullets
4. Hated
8. Moving
9. Works of fiction
10. Couch
11. Widest
13. Nuclear emissions
16. Vertical clearance
19. Edge; verge
20. Type of edible nut
22. Rainfall
23. Improves
24. Symbol of slavery

DOWN

2. Machine for heating food
3. Paper-folding art
4. Sour-tasting
5. Spend time relaxing (2 wds)
6. Spouted gibberish
7. Slippery fish
12. As it were (3 wds)
14. Ended prematurely
15. Win
17. Benefactor
18. Thin fogs
21. Viper

ACROSS

1. Funny
5. Recipe measure (abbr)
9. Groom's number two (2 wds)
10. Encrypted
11. Hot, brown drink
12. Sloping font
14. Beat
16. Habitual practices
18. Dishes
19. Christmas song
22. Shade of violet
23. Magnify
24. Uses a spade, perhaps
25. Remaining

DOWN

2. Rock or country
3. Good-hearted
4. Pope's envoy
6. Auction process
7. Herds of whales
8. Barely known
10. Traditionally
13. Church book
15. Large piece of wood burned at Christmas (2 wds)
17. Claim
20. Perform again
21. Sleigh

ACROSS

8. Gaps in the ground
9. Allows
10. Counsellor
11. Steakhouse order
12. Scathing; mocking
14. Sick
15. Gentleman
16. Not wanted
19. In accordance with (2 wds)
21. Type of tropical flowering shrub
23. Image
24. Covering

DOWN

1. Gets unfair help
2. Less foolish
3. Queries
4. Soul
5. Accepted etiquette
6. Car driven by a chauffeur
7. Also (2 wds)
13. Zodiac sign
14. Remote
15. Marshes
17. Desired
18. Make possible
20. Agreement
22. Headland

ACROSS

7. Prize cup
8. Conjoined
9. Above
10. Cellar
11. Provocation
14. Powered cutting blade (2 wds)
18. Most vile
19. Boxing match
20. Severe
21. Flowing back

DOWN

1. Dignity
2. Goad
3. Emblem
4. Dusk
5. Foreboding movie genre (2 wds)
6. Tilts
12. Preserve
13. Apprizing
15. Make
16. Second
17. Information
19. Moves up and down on water

ACROSS

7. Cannoli filling
9. Ride a bike
10. End of a proof (inits)
11. Needed
12. Borders
14. Suggests
16. End-of-line stations
18. Shyly
19. Oral examination
20. Phone number (abbr)
21. Lies in wait
22. Spaghetti-like strips

DOWN

1. Common
2. Vinegar, eg
3. Turmoils
4. Be thrifty
5. Recreational pursuit
6. Viral sensation
8. Bought asset
13. Spiralling or circling
15. Small telescope
17. Flood
18. Cattle herder
19. Lazy, perhaps
20. Roofing slab

ACROSS

1. Declared
5. Acts as monarch
8. Waiter's carrier
9. Lecturers
10. Nomad
11. Trick
12. Inuit
14. Inform
16. Pats with cloth
18. Okay
20. Camouflage
21. Wet, muddy grounds
22. Clothing fastener
23. Shiny Christmas decoration

DOWN

2. Windpipe entrances
3. Played, as in with an idea
4. Decay
5. Modified layout
6. Receive from your parents
7. Geeks
13. Visible (2 wds)
15. Extreme tiredness
17. Goodbye
19. Built-up

ACROSS

1. Nurture and care for
5. By surprise, as in 'taken ___'
9. Ambitious and go-getting
10. Arrays
11. Existed
12. Unpleasant task (2 wds)
16. Hitch
17. Implanted
19. Offspring's wife
21. Hex
22. Crooks

DOWN

2. At some point (2 wds)
3. Directing elsewhere
4. Showing no emotion
6. Fur scarf
7. Smart
8. Fine-bladed cutting tool
11. Ceilidh, eg (2 wds)
13. A score
14. Set up tents
15. Cheapen
18. A type of tall tree with shiny bark
20. Work well together

ACROSS

1. Italian volcano
4. Locates
8. Drab
9. Cut into with teeth
10. Tough and lean
11. Bodily exertion
13. Sharing-out actions
16. Flew up
19. Deed
20. Handbook
22. Wimbledon sport
23. Sheep protector
24. Crooned

DOWN

2. Scares
3. Financial researcher
4. Flair
5. Vivid pictorial impression
6. Caper
7. Barely get by
12. Physical feeling
14. Pander
15. Babies
17. Supply
18. Went out with
21. Powdery residue

ACROSS

1. Shackles
4. Spain and Portugal
8. Have
9. Order a drug
11. Large, flightless birds
12. Seemed
15. Efficiencies
18. Glossy red fruit
19. Gag
21. Conveyed
23. Drunkard
24. Mute
25. Entertained

DOWN

1. Small room
2. And so on and so on (2 wds)
3. Scruff
5. One-cell organisms
6. Tendon injury (inits)
7. Edits
10. Staff
13. Replies
14. Opposite of southern
16. Not these
17. Sitting down
20. Dutch cheese
22. Chum

ACROSS
1. Low-cost
4. Disperse
9. Machine designer
10. Bend into a curve
11. Debacle
12. Exhorted
13. Freezes over
15. Numerals (abbr)
16. Fading evening light
17. Vigorous attack
19. Helping
21. Aware of (2 wds)
22. Two-wheeled vehicles
23. Had the lead
24. One who composes elaborate poems

DOWN
2. Delhi language
3. Noms de plume
5. Situation
6. Pluck a guitar string
7. Applies encryption
8. Perceptible
14. Storage cupboard
16. Gathered
18. Interior
20. Musts

ACROSS

7. Extremely happy
9. Skin openings
10. Advanced teaching degree (2 wds)
11. Oppress
12. Backstreet
14. Command level
16. Imported curios
18. Swiss grated potatoes dish
19. Abyssinian
20. American R&B singer
21. Crack
22. Made up of digits

DOWN

1. Large terrier
2. Gazed at
3. Tending to hang loosely
4. Oration
5. Ills
6. Cay
8. A connected relationship between things
13. Inadequacy in a rule
15. Bother
17. Smoothed some shirts, perhaps
18. Change title
19. Orient
20. Female horse

ACROSS

1. Ultimately (4 wds)
8. Make use of
9. Add a point of view (2 wds)
10. Hogwash
11. Expectant
14. Not open
15. Force
17. Treat on a stick
18. Former Indian coin
20. A Sherpa, perhaps
22. Baghdad resident
23. Occasionally (3 wds)

DOWN

1. Incoherent
2. Inedible mushroom
3. Morays, eg
4. Happens
5. Happenings
6. Hawaiian guitar, informally
7. Machine-fitting
12. Attached
13. Official list of names
16. Thumps
19. Spanish painter, Joan
21. Beverley, to her friends

ACROSS

1. Very badly
5. Musical instrument
10. Peculiarity
11. Receded
12. Annoyed; tired (2 wds)
13. Teat
15. Quantitative relations
17. Citrus fruit
19. Like a movie
20. Squads
23. Buffalo
24. Bearer
25. States
26. Ending

DOWN

2. Walked through water
3. Joblessness
4. Coming last, perhaps
6. Ancient Mesopotamian city
7. Stops
8. Verify
9. Heat readings
14. A bar of music
16. Wanting a drink
18. Winter stalactite
21. Chinese or Thai, eg
22. Large wading bird

ACROSS

1. Freedom
5. Cart
9. Alikeness
10. A very long period, informally
11. Sad
12. Appraising
16. Comfort toys (abbr)
17. Slavic alphabet
19. Fortification
21. Leaf pore
22. Dark green, leafy vegetable

DOWN

2. Wry
3. Fast trains
4. As one, in music
6. Pointed instrument
7. Yield
8. Preoccupy
11. Adult male
13. A fund held in trust
14. Deny
15. Outdoor meal
18. Go over
20. Classic object-taking game

ACROSS

1. Lived
4. Openly
8. Concurs
9. Moves slowly
10. Years ago
11. Investigation
13. Comprehend (3 wds)
16. In a way (3 wds)
19. Has
20. Fondness
22. Ridiculous
23. Generosity
24. Depend

DOWN

2. Machine designers
3. World's highest mountain
4. Turkish title
5. Body of troops
6. Fidgety
7. Fib
12. On the whole (2 wds)
14. Appears
15. Patron
17. Item
18. Shirk
21. All __ __ day's work (2 wds)

ACROSS

8. Skirmishes
9. Age
10. Second
11. Deems
12. In lexical order
16. Official execution order (2 wds)
20. Former Soviet bloc hostilities (2 wds)
23. Letter after eta
24. Song speeds
25. Extend

DOWN

1. Follow, as in advice (2 wds)
2. Norse heaven
3. Place of worship
4. Operator
5. Stature
6. Bellow
7. Grim
13. Ewe's call
14. Internals
15. Edify
17. Its capital is Honolulu
18. Sharp reply
19. Sailing boat
21. Hobble
22. Coarse metal file

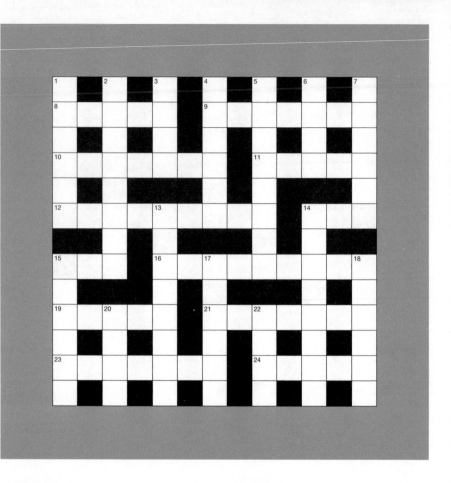

ACROSS

8. Monks' building
9. Key
10. Ghost
11. Precise
12. Empathetic
14. Prompt
15. Wet earth
16. Making toxic
19. Dance music
21. Gains
23. Most complete
24. Declare

DOWN

1. University site
2. Acquired
3. Burmese monetary unit
4. Battered seafood dish
5. Self-critical conscience
6. Pre-Euro Italian money
7. Dress
13. Enhanced
14. Fault-finding
15. Adapt
17. Loads
18. Absolute truth
20. The ego
22. Depose

ACROSS

7. Medical professional
8. Rubbed out
9. Pace
10. XIV, to the Romans
11. Have a heated argument (2 wds)
14. Treacle (2 wds)
18. Unsealed mail item
19. Restraint strap
20. Chase
21. At will

DOWN

1. Duty rolls
2. On
3. Sketches
4. Held for its full time, in music
5. Ordinary
6. Greek sorceress
12. Glaswegian, eg
13. Short spiral pasta
15. Trader
16. Flake out (2 wds)
17. Discussion place
19. Stink

ACROSS

1. Drug addicts
4. Confuse written words
9. Face up to
10. Simple glove
11. A name formed from a name
12. Orders
13. Beats on a serve
15. Corporal, eg (inits)
16. Church recess
17. 'Behold!'
19. Fleets
21. Smack
22. Happening
23. Mascara target
24. Stranger

DOWN

2. Spy
3. Improves
5. Join with one another
6. Caesar, eg
7. Creative people
8. Narrators
14. Mounted soldiers
16. Notified
18. Drive; urge
20. Run away

ACROSS

1. Happenings
4. Leaped
8. Priest (abbr)
9. Oversee
11. Snug retreat
12. Asks
15. Arms smuggler
18. Hold back
19. Emblem
21. Wistful thoughts
23. Novice, perhaps
24. Group of six
25. Split into stages

DOWN

1. Prone to mistakes
2. Imagines
3. Job
5. Chasing
6. Large tuna
7. Oily
10. Taking for granted
13. Borders on all sides
14. Go up
16. Takes in water
17. Complained
20. Bathe
22. Half a dozen

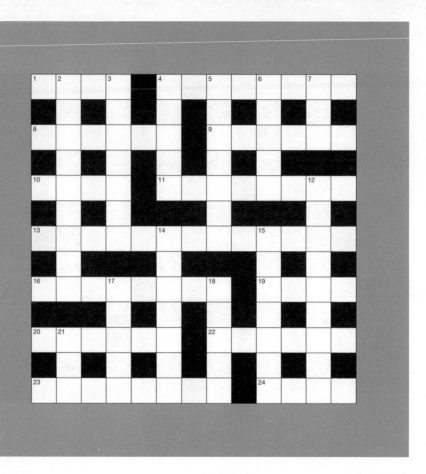

ACROSS

1. Made things up
4. Draws out
8. Naked
9. Heir to a throne
10. Verbal
11. Annul
13. Definitive
16. Withdraws
19. Rush
20. Insincere
22. Statements of belief
23. Costs incurred
24. Cheek

DOWN

2. Inflatable hose inside a tyre (2 wds)
3. Biblical betrayer
4. Ceased
5. Laid out, as a book
6. Compadre
7. Facial spasm
12. Spirited
14. Guesses
15. Goals
17. Apply again
18. Bags
21. Big-band instrument

ACROSS

8. Following on behind (2 wds)
9. Togs
10. Japanese feudal warrior
11. Picture border
12. Poignant
14. Font widths
15. When you were born (inits)
16. Information repositories
19. Nerve type
21. Positions
23. Shocks
24. In that place

DOWN

1. Absorbent paper
2. Nuclear weapon (2 wds)
3. Carafe
4. Deed
5. Wood or iron, eg (2 wds)
6. Mother of Zeus
7. Appraise
13. Bringing about
14. Intrinsic natures
15. Close-harmony rock and roll style
17. Chinese philosophy
18. Nun
20. Tussock
22. Tiny bit

ACROSS

7. Someone telephoning
8. Pick
9. Dram
10. Carrying
11. In an unbroken sequence
14. Alarming; scary
18. Five-sided polygon
19. Membership fees
20. Nasty person, informally
21. Frothy

DOWN

1. Mode
2. A long cut
3. Egyptian language
4. Screenplay
5. Pardons
6. Employing
12. Originating
13. Creates
15. Rue
16. Vexes
17. Typed
19. Dreary

ACROSS

1. Expel
4. Small stone
10. Experience (2 wds)
11. TV breaks
12. Sampling
13. Go over again
14. Demolition
18. Within a train
20. Become liable for
23. Expressions of hesitation
24. Epicure (2 wds)
25. Customers
26. Bluff

DOWN

2. Elects
3. Rectify
5. The clear sky
6. Bluster
7. Effortless
8. Ornamental quartz
9. Encircling
15. Mission
16. Superficial
17. Put words on paper
19. Yellow light
21. Grain husks
22. Restraint

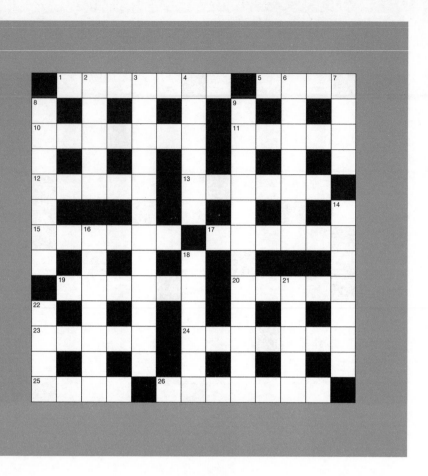

ACROSS

1. Helps
5. Burglar's booty
10. Initially
11. Fenced areas
12. Sully
13. Paradise
15. Angry mood
17. River crossing
19. Combines
20. Figure of speech
23. Large violin
24. Hazy
25. Has to
26. Futile

DOWN

2. Formally deliver
3. Interruption
4. Test
6. Anxious
7. Strong rush of wind
8. Balancing amounts
9. Two-faced
14. Get educated again
16. Disfigures
18. Topics for debate
21. Portents
22. Con

ACROSS

1. Cover
4. Slum area
8. Decimal base
9. Endorsing
11. Bites sharply
12. Confine
15. Dried petal mix
18. Menace
19. Egyptian cross
21. Rued
23. Family
24. Squirts
25. Red playing-card suit

DOWN

1. Quoting
2. Abrasive polishing sheet
3. Central facial feature
5. Conferring distinction
6. Over-revelation? (inits)
7. Church keyboards
10. Ingredient
13. Yacht sail
14. Tactics
16. Puts away
17. Expression of gratitude
20. Rim
22. Unrefined, sweet cane sugar

ACROSS

1. Declares
5. Arctic, eg
9. Fabricating
10. Reply
11. Expertly
12. Variety
16. Stopper
17. Centuries
19. Betrayer
21. Bodily sacs
22. Internet service

DOWN

2. Phases
3. Supplying with all necessary items
4. Go to the gym, perhaps
6. Input text scan (inits)
7. Historical records
8. Drives
11. Footnote pointers
13. Imitated
14. Depressing
15. Pre-Christmas period
18. Doctor's assistant
20. Android, perhaps

ACROSS

8. Mass, eg
9. Small, black, oval fruit
10. Fear greatly
11. Portuguese island
12. Related to word origins
16. Theatrically
20. Perfect example
23. Possessor
24. Eva Perón
25. Montage

DOWN

1. Digression
2. Sencha or Longjing (2 wds)
3. Insight
4. Microorganism
5. Fast food item (2 wds)
6. Tubular pasta
7. Remembers
13. Floral chain
14. System of dates
15. Stuck
17. Outdoor jacket
18. Son of Zeus
19. Curved
21. 'In the same source' (abbr)
22. Apiece

ACROSS

1. Fraction indicator (2 wds)
8. Church council
9. Subside (2 wds)
10. 'Dash!'
11. Car repairer
14. Fireplace shelf
15. Ensnarl
17. Headlong drop
18. 'Right away!' in hospital
20. Of current relevance
22. Improvise
23. Impossible to pass through

DOWN

1. Distinguish
2. Fixed values
3. Noon, in French
4. Women
5. Aloft
6. A charity, eg (inits)
7. Not satisfactory
12. Disco venue
13. Cranial pain
16. Slender
19. Impartial
21. Former tennis player, Shriver

ACROSS

1. Large shop
4. Short
10. Left-handed
11. Wonder
12. Accounts inspection
13. Newest
14. Make room for
18. Toughen
20. Lopsided
23. Stain
24. Brink
25. Brain cell
26. Map book

DOWN

2. Adjusted pitch
3. Italian rice dish
5. Bay or cove
6. Passage
7. Not odd
8. Normal
9. Preparatory
15. French castle
16. Strongly committed (2 wds)
17. Stockholm resident
19. Repeat mark
21. 100 aurar, in Iceland
22. Biblical paradise

ACROSS

1. Exploited
5. Small, useful tool
8. Bean curd
9. Responding
10. Moved on
11. Camera opening
12. North Pole area
14. Take for granted
16. Mathematical positions
18. Seen
20. Stubbornly intent
21. Wind in loops
22. 'Leave!' (2 wds)
23. Quit

DOWN

2. Wider
3. Spa facility
4. One-way electricity flow (2 wds)
5. Child's female child
6. Information
7. Feeling of boredom
13. Three of a kind
15. Assembly
17. Corpulent
19. Oven shelves

ACROSS

1. Assistant
4. Herbal medicine plant
8. NCO rank (abbr)
9. Annoyed
11. Public disturbance
12. Gravestone texts, perhaps
15. Move around freely (3 wds)
18. Literally
19. Futile (2 wds)
21. Central American republic
23. Opposite of outs
24. Cedes
25. Inhibition

DOWN

1. Barren place
2. Police vehicle (2 wds)
3. Lean
5. Height
6. Decay
7. Most broad
10. Replicating
13. Advancing
14. Damaged
16. Fairly
17. Tittle-tattle
20. A Yucatán Indian
22. *Evita* narrator

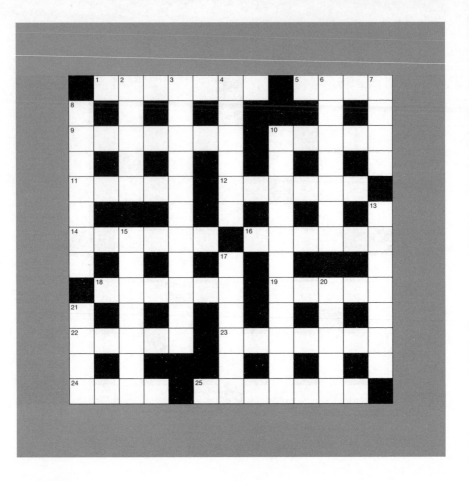

ACROSS

1. Indigenous inhabitants
5. Handle roughly
9. Mercury and Venus
10. Uses a sieve
11. Skilled
12. Annually
14. See
16. Creamy ice cream
18. Affluence
19. Gawks at
22. Small falcon
23. Hires
24. Appeal
25. Generally speaking (3 wds)

DOWN

2. Maxim
3. Equivalently
4. Writings
6. Flowering plant grown as fodder
7. Succulent
8. Wrenches a ligament of
10. Someone causing unnecessary alarm
13. Be made up
15. Quiver
17. Bed covers
20. Lawful
21. Bloke

ACROSS

7. From an Eastern continent
9. Nut that's similar to a walnut
10. Anakin's nickname in *Star Wars*
11. Enumerating
12. Egg-shaped
14. Jewish-state resident
16. Writers
18. Referenced
19. Complimentary
20. PC exit key
21. Zest
22. Earliest

DOWN

1. Delusions of persecution
2. User-edited web reference
3. Immediately (2 wds)
4. Emerge
5. Unfortunate happening
6. Tight; close-fitting
8. Orders the production of
13. Selfless concern
15. Denote
17. Speaker
18. Tea variety
19. Records
20. Fencing sword

ACROSS

8. Merger
9. Attain
10. Stipulation
11. Gulf War missiles
12. Bridal belongings
14. Loud noise
15. Canonized people (abbr)
16. Learn about (3 wds)
19. Slant
21. Enchanting
23. Asks for
24. Supple

DOWN

1. Marionette
2. Extremely thorough
3. Against
4. In abundance
5. Synonym books
6. Sweetheart
7. Reduce
13. Divisions
14. Set apart for special use
15. Equilibrium
17. Least wild
18. Sunk
20. Donated
22. Deep hollow

ACROSS

1. Naval standard
4. Smear
9. Party invite request (inits)
10. Naked (2 wds)
11. Evaluated
12. Develops
14. Sullenly
17. 1920s decorative style (2 wds)
18. Path
20. Brief section of text
22. Obese
23. Finishing
24. Indifference

DOWN

1. Go aboard
2. Film
3. European nobleman (2 wds)
5. Dine
6. Coming
7. Draft laws
8. Deliberate
13. Possession
15. Input
16. Softly
17. iPhone maker
19. Not suitable
21. Pistol

ACROSS

1. Guacamole ingredient
5. Halt
10. Driving
11. Wear down
12. Pace
13. Senility
15. Strict routine
17. Walk softly
19. Victor
20. Sacrosanct
23. Russian pancakes
24. Grimaced
25. Clothes
26. Deletion

DOWN

2. Spite
3. Fully sane (2 wds)
4. Series of ten
6. Idea
7. Ode
8. Text revisers
9. Impediments
14. Additional helpings
16. Steering
18. As much as can be held
21. Guitar-family instrument
22. Aid a crime

ACROSS

8. Deceiving
9. Corroboration
10. Concert venue
11. Better
12. Periodic table index (2 wds)
16. Bad temper
20. Spirited, as a musical direction (2 wds)
23. A decimal division
24. Young women
25. Teaching groups

DOWN

1. Butcher's leftovers
2. Enterprising person
3. Take a weapon away from
4. Eagerly excited
5. Rich, moist cake
6. Loose soil or earth
7. Echoes
13. Taxi
14. Plant specialist
15. Lung-protecting bones
17. Shove
18. Deadly
19. Classic board game
21. Usual rule
22. Ogre-like creatures

ACROSS

1. Group of states under one power
4. Paved road
8. The self
9. Wonders
11. Not new
12. Remain behind (2 wds)
15. Piece of data
18. Terrible
19. Credit-card provider
21. From dusk until dawn
23. Solid water
24. Indian pastry
25. Jumping chess piece

DOWN

1. Spectacle
2. Senior academic
3. Thick cord
5. Ideas
6. Windows application file
7. Follows
10. Probing
13. Storing records
14. Alternative forms
16. Fires at
17. Evident
20. Stupefy
22. Ornamental tree

ACROSS

7. End result
9. The same as
10. AOL, eg (inits)
11. Corrects
12. Fluster
14. Carving
16. Kettledrums
18. A lot
19. At elevated velocity
20. Add-on online content (inits)
21. Truffles, eg
22. Longed for

DOWN

1. Prevailing
2. Web-server protocol (inits)
3. Unrefined
4. Twins zodiac sign
5. Boxer
6. And
8. Overly
13. Hurtful
15. Murder of a race
17. Rappel
18. Extreme experience
19. Heave
20. Eat

ACROSS

1. Ancient Greek coin
4. Emails, perhaps
8. Poor excuse
9. Posted
10. Gist
11. Rodgers and Hammerstein musical
13. Topsy-turvy (3 wds)
16. Tainted
19. Step
20. Ethnic bigotry
22. Black magic
23. Regional official
24. Formerly (archaic)

DOWN

2. Large, edible, flat green legume (2 wds)
3. Large spotted cat
4. Subway
5. Less complex
6. Members of a particular Mennonite sect
7. Adam's mate
12. Spiteful
14. Required dietary nutrient
15. Burst violently
17. Upper classes
18. English white cliffs locale
21. Fuss

ACROSS

1. 'No. 5', for Lou Bega
4. In flames
10. Gestation
11. Cut tree trunk
12. Extremist
13. Call into question
14. Lack of purpose
18. Junks
20. Pyromaniac's crime
23. Iconic Hollywood actress, West
24. Equivalences
25. Biochemical tests
26. Adjust

DOWN

2. Spy
3. Bangladeshi language
5. Purchase all of (2 wds)
6. Briskly, tempo-wise
7. Dipped in yolk
8. Jet
9. Yearly celebration
15. Core
16. Followed
17. Grind teeth
19. Put on
21. Brew
22. Jane Austen novel

ACROSS

1. Enlist (2 wds)
5. Owner
8. Spread thickly
9. A legendary island
10. Try to tan
11. Dancer's dress
12. Absent from school
14. Saw
16. Brake part
18. Summary
20. Abutting
21. Be a couch potato
22. They can be drug- or risk-
23. Least frequent

DOWN

2. Less transparent
3. Mogul governor
4. Skilled professionals
5. In chaotic haste
6. Prolonged
7. Official order
13. Typical
15. Provokes
17. Monster slain by Hercules
19. Nastier

ACROSS

1. Heated debate
9. Protected lantern (2 wds)
10. Battle
12. Avoid
14. Drink with a sucking sound
15. Satisfies
19. Bay
20. Leaving out
22. Tooth doctor (2 wds)
24. Dismantle

DOWN

2. Rower
3. Gun levers
4. By mouth
5. Consumed frugally: ___ out
6. Long, stringy pasta
7. Not these
8. Unfolds
11. Aptness
13. College tutor
16. They counteract alkalis
17. Entertains
18. Prolonged pain
21. Edible root
23. Plus more (abbr)

ACROSS

7. Pertaining to a nerve
8. Rum cocktail (2 wds)
9. Small, black-and-white whale
10. Rejection
11. Financial obligations
14. With good productivity
18. Pedal-bike users
19. Arrived
20. Dog shelter
21. Animosity

DOWN

1. Chorus
2. Diva's solo
3. Worldwide
4. Measure
5. Age of consent
6. Blunder
12. Perplexing
13. Weather conditions
15. Offend
16. Published
17. Extremely energetic
19. 'Approach'

ACROSS

1. Tenth month
5. Broadcasts
9. In writing (2 wds)
10. Rescued
11. Cutting light
12. Paragons
14. Spring flower
16. Ball
18. Drink
19. Shy
22. Common black tea
23. Quill pen essential
24. Loving lip touch
25. Lengthy undertaking

DOWN

2. Manages
3. Expediency
4. Small, elongated insect
6. Entail
7. Froth
8. Gather
10. Lotteries
13. Without hesitation
15. Chemical diffusion process
17. Prompt
20. 'Balderdash!' (2 wds)
21. Face concealment

ACROSS

8. Sarcasm
9. Tehran resident
10. Think
11. Tally (2 wds)
12. Samba relative (2 wds)
14. Propellant gas (inits)
15. Increases
16. Outlook
19. Lucifer
21. Phenomena
23. Illustrations
24. Porcelain

DOWN

1. Central leaf vein
2. Addles
3. Sort
4. Inexpensive restaurant
5. Indian prince
6. Feral
7. Without being asked (2 wds)
13. As one (3 wds)
14. Yardsticks
15. Risky
17. Freshest
18. Sycophant
20. Labels
22. Pleasing

ACROSS

8. Tossed
9. Slacker
10. Lodge
11. Nose opening
12. Shortened form
16. Hindrance
20. Brought on
23. Practice
24. Oust
25. Claims

DOWN

1. Later
2. Gradually
   (3 wds)
3. Arachnid
4. Japanese
   noodles
5. Carnival
6. Make fuzzy
7. Terra firma
   (2 wds)
13. Contend
14. At the helm
    (2 wds)
15. Restricted
17. Remember
18. Is the same as
19. Not very clever
21. Nitwit
22. Much loved

ACROSS

1. Vinegary, eg
5. Rotten; foul
8. Greek letter 'z'
9. Unexplained happenings
10. Armed flying service (2 wds)
11. Allay
12. Join
14. Consternation
16. Urge
18. Sobriquet
20. Alternative to metric
21. Submissive
22. Change to ice
23. Oppose

DOWN

2. Compounds and substances scientist
3. Diminutive person
4. All-inclusive
5. At ninety degrees
6. Entry documents
7. Concepts
13. Sprinter, eg
15. Futile
17. Stopwatch, eg
19. Dulls, as pain

ACROSS

7. Set of musical movements
8. An hour before midnight
9. Bait
10. Pieces
11. Matrimonial band (2 wds)
14. Sports headgear (2 wds)
18. Related to the Old or New Testament
19. Futile
20. Abduct
21. Parchment document

DOWN

1. Components
2. A grown-up leveret
3. Occur
4. Panic
5. More than just local
6. Living creature
12. Final delivery date
13. Subdivision of a Roman legion
15. Elude
16. In the end (2 wds)
17. Single figure
19. Extremely

ACROSS

1. Agile
4. Water spray
8. Email symbols
9. Like a female warrior
11. Peaceful
12. Gathers up
15. Disapproval
18. Important
19. Up and down toy
21. Definite fact
23. Credit note (abbr)
24. Flight of steps
25. Biochemical catalyst

DOWN

1. Subtlety
2. Temporarily loses
3. Cargo, perhaps
5. Announce publicly
6. Speed gauge on a plane (inits)
7. Truthful
10. Complete termination
13. Economic good
14. Labyrinth monster
16. Dazes
17. Amplitude
20. Anthem
22. Cape Town country (inits)

ACROSS

7. Famous conductors
9. Capital of Ghana
10. Animated graphic (inits)
11. Senior priest
12. Raucous
14. Hotel complexes
16. Equivalent word
18. Oafs
19. Makes larger
20. Expert
21. Wall section
22. Adept

DOWN

1. Conceives of
2. Unable to hear
3. Stocky
4. Very young children
5. Plot outline
6. Den
8. Know-nothings
13. Guiltless
15. Bars temporarily
17. Pester
18. Vast
19. Sprites
20. Fit

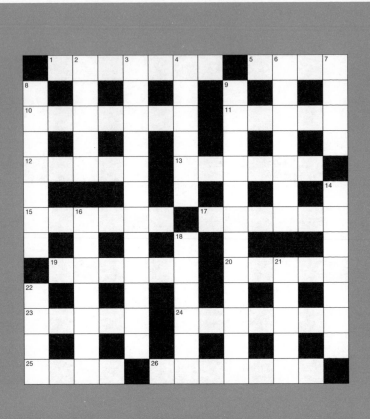

ACROSS

1. Europe and Asia combined
5. Swedish pop phenomenon
10. Glass containers
11. Gawked at
12. Antitoxin
13. Bigger
15. Country
17. Plan
19. Volcano mouth
20. Silver bar
23. Ascended
24. Succinct
25. Thin fog
26. Seclude

DOWN

2. Total
3. Vital
4. All alone: by ___
6. Accept
7. Helps
8. Ill-treating
9. Intended for prisoner rehabilitation
14. Resolved
16. Shoves
18. Vestiges
21. Fault
22. Lip of a cup

ACROSS

1. Informal talk
4. Offered for sale
8. Drew out
9. Chic
10. Common soft drink
11. Critical trial step (2 wds)
13. Business institution
16. Fictitious
19. Animal's claw
20. Make up for
22. Choral parts
23. Authorized
24. Severe black fashion style

DOWN

2. Ridiculously
3. Fugue companion, often
4. Artist's materials
5. Keeps
6. Choose
7. Stop
12. Tender emotion
14. Finds
15. Repairing
17. Speed
18. Adored
21. 'The Feds' (inits)

ACROSS

7. Electronic dance genre
8. Glorifies
9. Predatory freshwater fish
10. Racket-shaped footwear
11. Account
14. Ending
18. Famished
19. Single; solitary
20. Part two
21. Casts

DOWN

1. Polished
2. Archaic 'you'
3. Dwarf tree
4. Inspection result
5. Identity document
6. Belief system
12. Sharply defined
13. Not familiar
15. Primarily
16. Nullify
17. Girder material
19. Folk wisdom

ACROSS

1. Weakens; damages
5. 'I agree!'
9. Using base ten
10. Grecian column style
11. Once more
12. Termination
14. Least high
16. Four-armed Hindu god
18. Commands
19. Blackboard writing stick
22. Category
23. Drains
24. Eight bits
25. Lack of faith

DOWN

2. Soft leather made from sheepskin
3. Metes out
4. Banks; depends
6. Sovereign
7. Top of a bottle
8. In a perfect way
10. According to theory (2 wds)
13. From Ankara, perhaps
15. Justify
17. Feature
20. Farewell
21. Strike breaker

ACROSS

7. Flowering bedding plant
9. Join
10. Ribcage muscles
11. Proposed a person for a role
12. Result
14. Emptied
16. Whirlwind
18. Misbehave (2 wds)
19. Limits
20. They might be 4K, now (abbr)
21. *Tosca*, eg
22. Imply

DOWN

1. Purest
2. Recedes
3. Quick peek
4. Game bird, ___ fowl
5. Different from one another
6. Meander
8. Combined militaries (2 wds)
13. Accents
15. Sets down
17. Overseas
18. Allot
19. Christ's cross
20. Abound

ACROSS

8. Probity
9. Same
10. Guide
11. Version
12. Sunken
16. Online status
20. Ailment
23. Drunken woodland god
24. Fastening
25. Observer

DOWN

1. Belonging to which person?
2. As a response (2 wds)
3. Vivacity
4. Small, U-shaped harp
5. Highfalutin
6. Teeny
7. Propensity
13. Furrow
14. Empowered
15. Screenplays
17. Elan
18. Tours
19. Girl's outfit
21. Reclined
22. Cutting tools

ACROSS

1. Cautious
5. Copied
10. Repress
11. To any degree (2 wds)
12. Be cyclical
13. New
15. Menacing warning
17. Void
19. Not impartial
20. Track
23. Rule as monarch
24. Depict
25. Salary
26. Large, flightless bird

DOWN

2. Off the cuff (2 wds)
3. Causing social discomfort
4. False
6. Flat part of a curve
7. Fresh-food shop
8. Move to another country
9. Maker
14. Hires for work
16. Destroying
18. Takes in a child
21. Relating to gold
22. Projecting front part

ACROSS

1. Thrust
4. Between sunrise and sunset
9. Notional
10. Rows a boat
11. Unimportant facts
12. Ronald Reagan's wife
13. Claim
15. Usernames (abbr)
16. Prying
17. Welsh breed of dog
19. Ripe
21. Feathers
22. Disregarding
23. Slander
24. Open sore

DOWN

2. Dark-brown pigment
3. Recover from (2 wds)
5. Amazement
6. Plant barb
7. Those killed for religious beliefs
8. Aptitudes
14. Aircraft courses
16. Without a sharp or a flat
18. Flush with water
20. Extent

ACROSS

8. Disentangle
9. Chagrined
10. Sluggishness
11. Cheek
12. Print again
14. Coach
15. Talk endlessly
16. Keeping
19. Last Greek letter
21. Boat-repair site (2 wds)
23. Miser
24. Obvious

DOWN

1. Younger
2. Tries
3. Purple vegetable plant
4. Italian sausage variety
5. Press-gang
6. Arab ruler
7. Goodbyes
13. Bridgetown island
14. Let loose, as in temper (2 wds)
15. Slick
17. Neatened
18. Small racing vehicle
20. Merit
22. 'Ick!'

ACROSS

1. The top of a page
4. Layers of rock
8. Big cup
9. Changes a decision
11. Desensitize
12. Bank amounts
15. Food and nourishment
18. German Shepherd
19. Rotate
21. Deceitful
23. Rage
24. Most pleasant
25. Prehistoric animal remains

DOWN

1. *Homo sapiens*
2. Disagreements
3. Greek god of love
5. Small, freshwater turtle
6. Scratch-plough
7. Help
10. Put an end to
13. Hundreds of years
14. Transport stops
16. Forgive
17. Uncoil
20. Founder of the Holy Roman Empire
22. Short time (abbr)

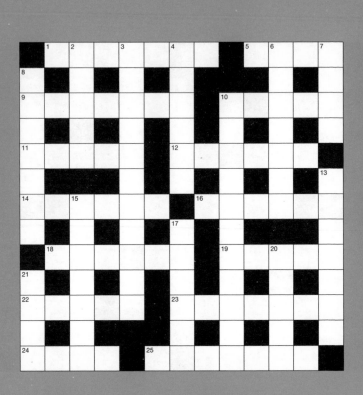

ACROSS

1. Handle; deal with
5. Devotional painting
9. Act of abuse
10. He lives in a lamp
11. Spontaneously playful
12. Likenesses
14. A very short moment (2 wds)
16. More plentiful
18. Greatest
19. Fashion
22. Nine-voice group
23. Extremely old
24. What a vacuum does
25. Bike rider

DOWN

2. Circular
3. Scarce consolation (2 wds)
4. Hinder progress
6. Hide
7. Want
8. Climbing
10. Syntactically correct
13. Recognizes
15. Of very great size
17. Stable
20. Levels
21. Industrious insects

ACROSS

7. Social setting
8. Send abroad
9. Tightly curled hairstyle
10. One's boss
11. Conventional
14. Past the worst part (3 wds)
18. Humiliated
19. Smooth-tongued
20. Erase
21. Makes flush

DOWN

1. Varies
2. A dry sherry
3. Beginning
4. Avoid leaving (2 wds)
5. Draw near
6. Large dart
12. Redirected
13. Surrounding
15. Infested
16. Relating to the underworld
17. Old communications service
19. Way of walking

ACROSS

7. Exclusions
9. Higher
10. Internet
11. Shortens
12. Peruses
14. Neat and tidy (2 wds)
16. Locate
18. Artist's stand
19. Amazing
20. By way of
21. Alter
22. To the side

DOWN

1. Front players
2. Wild guess
3. Sixteenths of a pound
4. Evening wear
5. Chapters
6. Mined rocks
8. Nostalgic
13. Was present at
15. Dependable
17. Prizes
18. Fire up
19. Fat
20. Action word

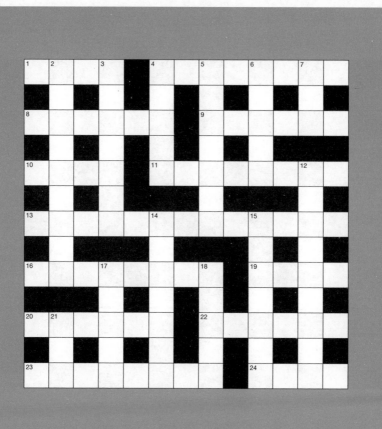

ACROSS

1. Mimics
4. Secret login characters
8. Inhaler target
9. Very handsome young man
10. Mix
11. Parts
13. Realistic, as landscapes in art
16. Allocated
19. Christmas
20. All of your assets
22. Dress in vestments
23. Maladies
24. Stops living

DOWN

2. Places
3. Playful composition
4. Flying vehicle
5. Get fit (2 wds)
6. Entire
7. Eire (inits)
12. Attributable
14. Depicts artistically
15. Neglected
17. Absurd
18. Those who get things done
21. Toboggan runner

ACROSS

8. Residence
9. Large-billed waterbird
10. Large wild ox
11. Example
12. Flexible
14. Maybes
15. French lady (abbr)
16. Gave a financial report (archaic)
19. Reiterate (2 wds)
21. Active (3 wds)
23. Enhance
24. Category

DOWN

1. Irrational fear
2. Right to vote
3. Isolated, flat-topped hill
4. Self-assurance
5. Large, burning torch
6. Carried out a hit on (slang)
7. Aspects
13. Cooking measurement
14. Ultimately (3 wds)
15. Tiled picture
17. Picked
18. Cowhand
20. Be dejected or apathetic
22. Roman drape

ACROSS

1. Informer
4. Contrives to obtain
9. Practically (2 wds)
10. Spot
11. Tibetan mountaineer
12. Quotes
13. 'Go away!'
15. Apex
16. Weighted weapon
17. Malice
19. Entices
21. Deeds
22. Propensity
23. Pleasantly
24. Banquet

DOWN

2. One before tenth
3. To start with (2 wds)
5. Expecting
6. Visitor
7. Reveals
8. Restricted to one section of a company
14. Moneymaking investment (2 wds)
16. Take part in the hope of winning
18. Give out
20. Small nails

ACROSS

8. Dashing but unconventional
9. Make more beautiful
10. Used up
11. Trellis
12. Joined in
16. Overwrought, eg
20. Congestion
23. Proportion
24. Ingested
25. Type of bank account

DOWN

1. Crass
2. Despite anything else (2 wds)
3. Dogmatic decree
4. Singer, Collins
5. Portable computer
6. Yoga expert
7. Means
13. The former KGB's main rival (inits)
14. Bending
15. Less full
17. Specify
18. Reach a destination
19. Nit
21. Vocal range
22. Throw

ACROSS

1. Borders
4. From the top, in music (2 wds)
8. Knowledge
9. Was heir to
11. Raise
12. Prior
15. Help pay for
18. Relating to the chest
19. For the notice of (abbr)
21. Proscribed
23. Brazilian port
24. Auxiliary track section
25. Depicted

DOWN

1. Probable
2. Public declaration of intent
3. Cut shorter
5. Goodbye, to the French (2 wds)
6. Liable
7. Earliest
10. Aghast
13. Depose
14. Wearing-away
16. Crams full
17. Open out
20. Crawl
22. Opposite of green?

ACROSS

1. Naked
4. Cursing
8. Asset
9. Culpable
10. 'Gosh!'
11. Particular
13. Involving several countries
16. Greets
19. Duo
20. Yarn
22. Thin cotton cloth
23. Baldness
24. Hades river

DOWN

2. Rave music, perhaps (2 wds)
3. Remove
4. Paces
5. Most anxious
6. Healing-hands therapy
7. Trap
12. Incapacity
14. Wandering
15. Resists
17. Crawl
18. Ballroom dance
21. *2001: A Space Odyssey* computer

ACROSS

7. Popular pastry
8. Beaded counting tool
9. Notice
10. Large, trunked animal
11. Serving error in tennis (2 wds)
14. Relating to government by men
18. Became ill
19. Landlocked African country
20. 'Again!'
21. Contract

DOWN

1. Parody
2. Idea
3. Cheddar, eg
4. SLR, eg
5. Universal
6. Litigating
12. Flight recorder (2 wds)
13. Impossible situation
15. Raved
16. Avid
17. Portents
19. Concern

ACROSS

8. Surprise attacks
9. Exasperate
10. Deep-seated
11. Fault
12. Disparate
14. Chest muscle
15. Fed
16. Not sure
19. Sensation; unexpected event
21. Circus performer
23. Bend out of shape
24. Synthetic clothing material

DOWN

1. Determined the value of
2. Pellet gun (2 wds)
3. Book ID (inits)
4. Geronimo descendant
5. Celestial reference point (2 wds)
6. Entrance
7. Measurement
13. Imitator
14. Cooperate (2 wds)
15. Junkie
17. Cunning
18. Making a record of
20. Uncle's wife
22. Peel

ACROSS

1. Give in
5. At once (inits)
9. Embassy
10. Not a soul (2 wds)
11. Loft
12. Smoothly, in music
14. Implants
16. Of a population subgroup
18. Neigh
19. Virtue
22. Motion picture
23. Distinguished
24. Helper
25. Casual

DOWN

2. Not yet hardened
3. Chance occurrence
4. Ruin, as in a piece of music
6. Reduce in length
7. Sneak a look
8. Spears
10. Dystopian
13. Transparency film
15. Wasn't naughty
17. Me
20. Grave
21. Youth hostel (inits)

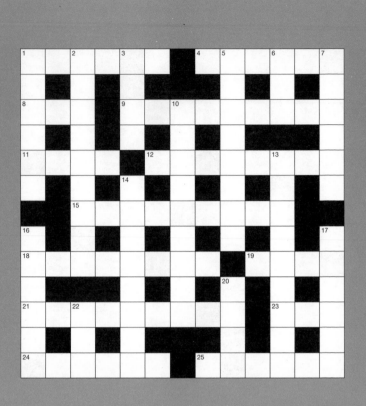

ACROSS

1. Dwellings
4. Assets
8. Sprint
9. Entailing
11. Hot on
12. Abstaining from alcohol
15. Receivers
18. Greek
19. Whisker
21. Reckons
23. Fairy
24. Velocities
25. Grammar

DOWN

1. Beastly
2. Abnormal
3. Way out
5. Connection
6. Print resolution (inits)
7. Two-way switch
10. Perspective
13. Will
14. Yelled
16. Applauds
17. Add to the start
20. Kids' spotting game (2 wds)
22. Not just any

ACROSS

1. Taken to the air
4. Inane
9. Respires
10. Fishing spear
11. Wild dog
12. Relating to ancient Carthage
13. Tater
15. Preparation for Google? (inits)
16. If not
17. Group of soldiers
19. The countryside in general
21. Sonic the Hedgehog company
22. Dynamic; thrilling
23. Someone with no religious faith
24. Awareness

DOWN

2. Grub
3. Bashed
5. Thwarted
6. Church keyboard
7. Contaminates
8. Deep thinkers
14. Happy to wait
16. Give a right to
18. Speak
20. Debris

ACROSS

7. Non-overnight excursion (2 wds)
9. Principle
10. GMT-5, in the summer (inits)
11. Built object
12. Sticky ribbons
14. Someone with internal knowledge
16. Flattens out
18. Heals
19. Ninth month
20. Opposite of 'to'?
21. Worth
22. Green jewel

DOWN

1. Teaches
2. Indian peasant
3. Expunges
4. Has a chemical response
5. Arm and torso intersection
6. Spotted-skin disease
8. Allowable
13. Without delay
15. Replies
17. Ideas
18. Large rug
19. Rescue
20. Decree

ACROSS

7. Part of a gun
8. Out of the ordinary
9. Cranium
10. Wanders
11. Ice-cream dessert (2 wds)
14. 'Excel', eg
18. Speed
19. Tiny biting fly
20. Vine fruit
21. Wrongdoings

DOWN

1. Photographic equipment
2. Tap dancer, Astaire
3. Woman graduate
4. Leave suddenly
5. Aloof person (2 wds)
6. The Scales
12. Liking
13. Eases
15. Newspaper chief
16. Theatrical smoke (2 wds)
17. Copy-machine company
19. Harsh

ACROSS

1. Caiman's cousin
4. Edifice
8. Cling
9. Deposit cargo
10. Preconquest American
11. Adolescent
13. Begin to make sense (3 wds)
16. Draws in
19. Central church area
20. Toasted Italian sandwiches
22. Thing
23. Fitted in
24. Father

DOWN

2. Unemployed
3. White pool sphere (2 wds)
4. Sheep's cry
5. Before birth (2 wds)
6. River mouth
7. Privacy contract (inits)
12. Digging machine
14. Cutting slightly
15. Extents
17. Horned African animal
18. Horse
21. Yes vote

ACROSS

1. Offhand
4. Showered
9. High mountain
10. Outlooks
11. About
12. Lingers
14. Very tall buildings
17. He pulls Santa's sleigh
18. Cast out
20. Fundamental law
22. Car suspension system (inits)
23. Compendium
24. Postage tokens

DOWN

1. Opportunity
2. Awesome
3. Valuation
5. Current unit
6. Fusion power type
7. Drug quantities
8. A wish that is unlikely to come true (2 wds)
13. Utensil
15. Joking
16. Zoo residents
17. Quick
19. Hip bone
21. They replaced LPs (abbr)

ACROSS

1. Road surface
5. Sample food
8. Young troublemaker
9. Rare
10. Ripe for picking (2 wds)
11. Produces an egg
12. From Wales, eg
14. Intense beams of light
16. Adhesive
18. Critical
20. Understood by only a few
21. Heap
22. Food grain
23. Was deficient in

DOWN

2. Organize
3. Dull paint finish
4. Constant speed device in an auto (2 wds)
5. Computerized
6. Tests
7. Very dark wood
13. Table support
15. Rotate
17. Fine, smooth cotton thread
19. Theme

ACROSS

1. Locating
5. 'Excuse me'
10. Cost
11. Ill-suited
12. Make a promise
13. Chemical twin
15. Revamp
17. Lobbed
19. Maker of suits
20. More friendly
23. Earn
24. Vehicle-cleaning facility (2 wds)
25. Gentle
26. Runs away

DOWN

2. Slip-up
3. Say well done to
4. Relating to the intellect
6. Dismissal
7. Large-winged nocturnal insect
8. He slayed Medusa
9. Cell energy stores
14. Chaos
16. Schematic
18. Building blocks
21. Pursue
22. Cut

ACROSS

8. Not heavenly?
9. Preserve (2 wds)
10. Defamatory statement
11. Trails
12. Forgetful
16. Arguable
20. Hostile
23. Way in
24. Spooky
25. Adds on

DOWN

1. Prison rooms
2. Odds-on
3. Put on hold
4. Stains
5. Acid counterpart
6. True-north compass
7. Chapter
13. Duo
14. Erasing
15. Shapes with four equal sides
17. Roasting bird
18. Musical speed reversion (2 wds)
19. Wandering person
21. Alter
22. Test

ACROSS

8. Clan
9. Regional language variation
10. Bother
11. More adept
12. Not on film (2 wds)
14. Also
15. Posed
16. Send to the wrong place
19. Zagreb native
21. Violins
23. Relevance
24. Unclear

DOWN

1. Workroom
2. Angry outburst (2 wds)
3. List of dishes
4. Fit to consume
5. Indian consort
6. Whimper
7. Music system
13. Allowed entry
14. The study of religious belief
15. Chatty
17. Most secure
18. Samples
20. Type of grain
22. Bird of peace

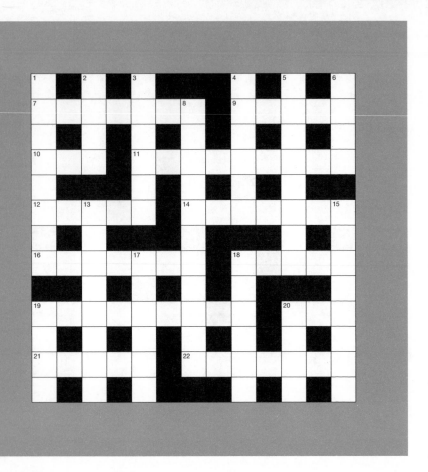

ACROSS

7. Unit of electric charge
9. Like a blast from the past
10. Newt
11. Conveyed
12. Belief system
14. Inclined
16. Student
18. Perhaps
19. Schooling
20. Rapid stream of liquid
21. Attractive young woman
22. Stays

DOWN

1. Experimental subjects
2. Shot on the green
3. Ready to fire
4. Demonstrated
5. Forever
6. Street
8. Short-haired, mid-sized dog (2 wds)
13. Tires
15. Largest
17. Departs
18. Lowest limits
19. Engrave
20. Attach

ACROSS

1. Important bone mineral
5. Pain
9. Keenly
10. Excludes
11. Tablet pens
12. Struck with the foot
14. Mass prayer
16. Air current
18. Slander
19. Speak highly of
22. Conscious
23. Ten-sided polygon
24. Stop a vehicle
25. Intersected

DOWN

2. Irate
3. Qualification document
4. Free animals from a harness
6. Mandarin
7. Celtic tongue
8. Communication
10. Happenings
13. Allowing
15. Outside; unenclosed (2 wds)
17. Male or female
20. Quarrel
21. Skew

ACROSS

1. Innocence
4. Chaotic disorder
8. Blast
9. Abridged
11. Onion relative
12. Church ceremonies
15. Powered stairs
18. Incidentally (3 wds)
19. Title document
21. Debated
23. Red sushi fish
24. Decelerated
25. Happily

DOWN

1. Problem
2. Stand for
3. Long, pointed tooth
5. Trigger
6. Early Chinese dynasty
7. Unassuming
10. Puts too much into
13. Amended
14. Timetable
16. Dwells
17. Peculiarity
20. Hero
22. 'Full house', on Broadway (inits)

ACROSS

7. Type of flying insect
8. Hindu retreat
9. Design
10. Invention
11. Prevention
14. Mercy
18. Complete
19. Extol
20. Not awake
21. Grow

DOWN

1. Envious
2. Egyptian deity symbolized by the sun
3. Save
4. Provides a supply of food
5. Temporary closing
6. Kayak
12. Offered marriage
13. Supplying
15. Bad-tempered
16. Seen
17. Embarrass
19. Edges

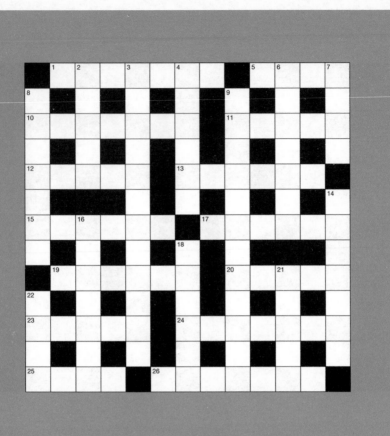

ACROSS

1. Extremely stupid
5. Stiffly formal
10. Lurch
11. Maritime
12. Two cubed
13. Brute
15. Basement
17. Uncle's or aunt's child
19. Frail
20. Be equal
23. Female ruler
24. Wandering over a wide area
25. *Rule, Britannia!* composer, Thomas
26. Sly creatures

DOWN

2. Jargon
3. Give-and-takes
4. Usual
6. Discloses
7. Opposite of female
8. Essential character
9. Climates
14. Feeling great (3 wds)
16. Portable lamp
18. Develop
21. Turn around quickly
22. Water

ACROSS

1. Monetary fund
4. Sated (2 wds)
9. Water vessel
10. Crusades
11. Marshy lake or river outlet
12. Placed
14. Career progression
17. Tardiest
18. Dangers
20. Oversights
22. Poem
23. Large birds of prey
24. Amended

DOWN

1. Passages found on book jackets
2. Fop
3. Promote
5. *Smash* actress, Thurman
6. Become less dark
7. Asked, as a question
8. Inference
13. Made up
15. Condemning
16. Rise
17. Sign of a fire
19. Reconnaissance soldier
21. Prosecute

ACROSS

1. Men about to be married
9. Tickle
10. Saudi, perhaps
11. Made possible
12. Potato pancake
13. Humiliation
16. Coronet
18. Sanction
20. Caring for
21. Live
22. Emphasizing

DOWN

2. Large-leaved, edible plant
3. Reside
4. Protecting spirit (2 wds)
5. Prophetic priests
6. Damp
7. Horse competition event (2 wds)
8. Financial contributions for profit
14. Come to understand
15. Sentiment
17. Kitchen shield
19. Song of triumph

ACROSS

1. Lots and lots, informally
4. Regular receipt of money
9. Victim
10. Beat
11. Wanders
12. Unite
13. Tears
15. Tenth month (abbr)
16. Musical ending
17. Bring down
19. Connected with vision
21. Captain Hook's right-hand man
22. Dire
23. Biology, eg
24. Is aware of

DOWN

2. Matter
3. Wins a victory over
5. Electronic component panel (2 wds)
6. *Monster* actress, Christina
7. Peeved
8. Noble
14. Relating to the Muslim religion
16. Warning
18. In what place?
20. Grant

ACROSS

7. Largest
9. Draws nigh
10. Sand bank
11. Not real
12. Crest
14. Moped
16. Hair detergent
18. Biblical father of Joseph
19. Comported
20. Greek letter 'X'
21. Location
22. Zealot

DOWN

1. Veils
2. Unsightly
3. Live
4. Blue shade
5. Of enormous size
6. Pallid
8. Moved
13. Tiring
15. Makes again
17. Very poor person
18. Deems
19. Give in
20. Carbonized fuel

ACROSS

1. Squandered
4. Ocular
8. Not harmful to the environment
9. Groups of spectators
11. Rents out
12. Coffee shot
15. Take turns
18. Send somewhere else
19. Andean capital
21. Heir
23. Ovum
24. Mate
25. Individual

DOWN

1. Every seven days
2. Stenographic writing
3. Brio
5. Frozen dessert (2 wds)
6. GMT (inits)
7. Teaching unit
10. Diverts attention
13. Samples
14. Appetizers
16. Emergency
17. Lingo
20. Exhort
22. Dove sound

ACROSS

7. Two-piece swimwear
8. Elicited
9. Elemental particle
10. Axing
11. Female artisan
14. Confining
18. Distorting a message, perhaps
19. Powdery cloud-fall
20. Financial
21. Moved back and forth

DOWN

1. Female siblings
2. Movie
3. Fish sign
4. Traditional Mexican scarf
5. Moan
6. Legumes
12. Type of microphone distortion
13. Conjures up
15. Tests
16. The eighth month
17. Craze
19. Kill

ACROSS

1. Allied countries
4. Living-room display (2 wds)
8. Completely erase
9. Spoke
10. Digital telephone protocol (inits)
11. Find and pursue (2 wds)
13. According to every report (3 wds)
16. Family member
19. Fellow
20. Motto
22. Ceremony
23. Omits
24. Average

DOWN

2. Modus vivendi
3. Wide strait
4. Molars, eg
5. Demonic
6. Governed
7. Sheep
12. Retracts
14. Set in correct relative positions
15. Makes changes to
17. Celestial being
18. Makes
21. Slack

ACROSS

1. Eating
4. Unneeded extras
9. Periphery
10. Background room decoration
11. Recording
12. Fantastic
14. Make a lot of noise (3 wds)
17. Pendulous ornamental shrub
18. Amends
20. Type of party decorations
22. Pastry dish
23. Guarantee
24. Nairobi resident?

DOWN

1. Infer
2. Titled
3. Those who have just arrived
5. Small fruit seed
6. Exact copy
7. Small branch
8. Alert and coherent
13. Recipient
15. Treaties
16. To the rear, on a ship
17. Legendary choreographer, Bob
19. Hint at
21. Interest rate (inits)

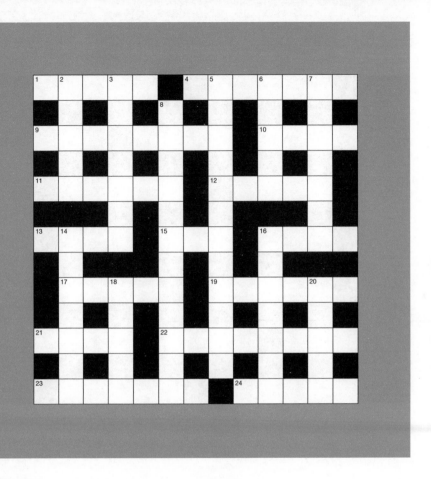

ACROSS

1. Secret supply
4. Banal
9. Receipts
10. Mother
11. Device for boiling water
12. Less revealing
13. Walked
15. The Emirates (inits)
16. Salve
17. Bet
19. Rests
21. Sharp punch
22. Not suspicious
23. Underlying stone
24. Robbery

DOWN

2. Topic
3. Perspired
5. A failure
6. Fool
7. Digit
8. Procedural
14. Compose again
16. Respire
18. Runner
20. Evergreen trees

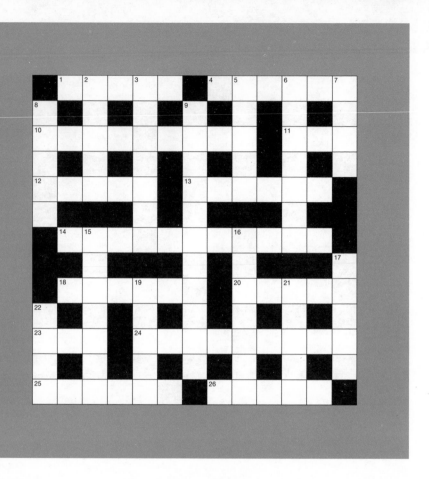

ACROSS

1. Slip
4. Vigorous
10. Victims
11. Dunk
12. Endures
13. Put in
14. Solace
18. Without any detour
20. Arm joint
23. Computer key
24. Predictions
25. Concealing
26. Sloppy

DOWN

2. Raises
3. Puts on clothes
5. Desert waterhole
6. Experience
7. Knocks lightly
8. Sacred song
9. Law-making body
15. Skipped
16. Sugar syrup
17. Flooded
19. Waiflike
21. Foundation
22. Nasty cut

ACROSS

1. Photo collections
4. Golf-ball hit
8. Heated bath
9. The previous century
11. Fusion weapon
12. Scarcity
15. Servant
18. Diverse
19. Tramp
21. Swapped
23. Definitive British dictionary (inits)
24. Skin image
25. Actor

DOWN

1. Away
2. Extortion
3. Measure, with 'out'
5. University study class
6. Bullfighting cry
7. Repeats
10. Improving
13. Compendium book
14. Played with abrupt, short notes
16. Warm again
17. Noisier
20. Greatly admired person
22. Gash

ACROSS

1. Scheme
4. Conceive of
8. Amend
9. Legally responsible
10. Scored 100% on
11. Medical dispensary
13. Comparable
16. Fleeing
19. Break
20. Small plug for a cask
22. Manger
23. Assurance
24. Kind

DOWN

2. Absurd
3. Storm noise
4. Finish a meal (2 wds)
5. Lava emitter
6. Oiliness
7. Lass
12. Sucrose (2 wds)
14. Strong blue cheese
15. Doubtful
17. Wrath
18. Bold
21. Legume seed

ACROSS

1. Broken
5. Butt
9. Flow gates
10. Ground
11. Crab claw
12. Take small bites
14. Additions
16. Savage
18. Advantage
19. Detached
22. Breakfast strip
23. Throw away, with 'of'
24. Bridge charge
25. Abnormal

DOWN

2. Maltreat
3. Clear approval
4. Relaxing
6. Small pastry
7. Thai money
8. Excited
10. Discomfits
13. Sparkle
15. Normal
17. Direct
20. Fragrance
21. 'In memoriam' article

ACROSS

8. Uplift
9. Seems
10. Simple wind instrument
11. Tally
12. Clinton, eg
14. Existed
15. Female sibling
16. Prospective
19. Allude
21. Turned
23. Roams
24. Former *Superman* actor, Christopher

DOWN

1. Get back
2. Bosses
3. Denoting 'half'
4. Building to park cars in
5. Sunbed alternative (2 wds)
6. Henry VIII's final wife, Katherine
7. Owned property
13. Brought into a country
14. Primitive flutes
15. Metal fasteners
17. Flog
18. Long-handled spoons
20. Pointed animal tooth
22. Prison sentence

ACROSS

7. Wild Asian sheep
8. Followed orders
9. Editing mark
10. Lackey
11. Pain-relief needle technique
14. Reach a climax (4 wds)
18. Roundabout
19. Compel
20. Approve
21. Staring lecherously

DOWN

1. Pundits
2. Final
3. Enclosed by
4. Large wasp
5. Investigate
6. Egret
12. Supplied
13. Speaking
15. Chooses
16. Choice
17. Light bite
19. Internal spy

ACROSS

1. Poppy-derived narcotic
4. Kingston's island
9. Reasoned
10. Real
11. Student doctor
12. Grows crops for a living
13. Unwanted plant
15. High-___ safety jacket
16. Sliding window frame
17. Punctuation mark
19. Universal Buddhist truth
21. Karaoke for two?
22. Doctrine
23. Adolescent
24. Dress

DOWN

2. Put down
3. Consolidated
5. Abruptly (4 wds)
6. Player
7. Ocean trips
8. Not persuasive
14. Keep out
16. Not as big
18. Classical language
20. Conjuring

ACROSS

1. Backlash
4. Desktop arrow
9. Body-scan technique (inits)
10. Strengthened
11. Selfish person
12. Ex-celebrity
14. Large food store
17. Mail
18. Remnant
20. Shoving
22. Tit for ___
23. Breathing gas
24. Match results

DOWN

1. Distant
2. Mouse press
3. Mediate
5. 'Yuck!'
6. Genuine
7. Curie's gas
8. Using indirect expressions
13. Tactical
15. Completely
16. Losses of life
17. Bingo
19. Sacrificial block
21. View

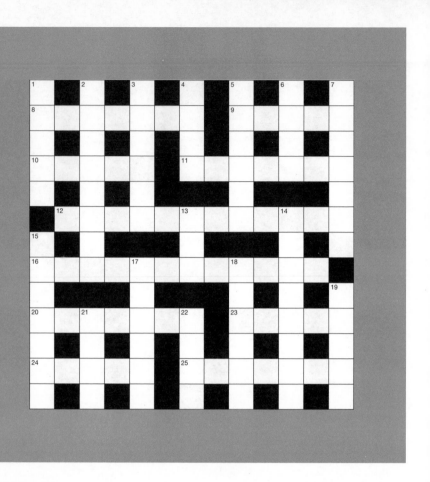

ACROSS

8. Money given for goods
9. Polynesian language
10. Swindle
11. From the red planet
12. The study of extremely small organisms
16. It bubbles out of a spring (2 wds)
20. Takes into custody
23. Aviator
24. Cabin
25. Regular

DOWN

1. Heroic tales
2. On purpose (2 wds)
3. A direction and magnitude
4. Grape must
5. Womb resident
6. Central points
7. Waste-filtering organs
13. Volume-level unit
14. Fail to notice
15. Friendly
17. Dashes
18. Foreign nanny (2 wds)
19. Philatelist's item
21. Clarets, eg
22. Run-down part of a city

ACROSS

1. Jump
4. Forebear
8. Stellar
9. Practicable
10. Henry VIII's wife, Boleyn
11. Adores
13. Assortment of small items (3 wds)
16. International games
19. Enlarged
20. Throw into the air
22. Toils
23. Absolute ruler
24. Conceal

DOWN

2. Required
3. Luggage handlers
4. Lit-up
5. Attempt to conceal wrongdoing
6. Break
7. Opposite of a lark?
12. Feigned
14. Not this one nor that one
15. What this is written in
17. Juicy, tropical fruit
18. Vision
21. Canberra university (inits)

ACROSS

1. Writing for the blind
5. Verruca
10. Firmly
11. Tests
12. Make a change
13. Tension
15. Distilled alcohol
17. Not singular?
19. Evil
20. Hospital garments
23. Small house
24. Slant
25. Shorten, as in a sail
26. Reduce

DOWN

2. Correct
3. Meshing
4. Putting down
6. Non-professional
7. USSR news agency
8. Guilty (2 wds)
9. Related to the brain
14. Brief shows of light
16. Bicker
18. Counsel; guidance
21. Hand-to-forearm joint
22. A permanent mark

ACROSS

1. Used a broom
4. Parcel
9. Clear difference
10. Time units of a billion years
11. Each
12. Senior
13. Whirl
15. Banned insecticide (inits)
16. Small valley
17. More mature
19. Consign
21. Wireless Internet
22. Edges
23. Docking cushions
24. Inscribed column

DOWN

2. Cry of excitement
3. Template
5. Genuineness
6. Massage
7. All-purpose
8. January to December (2 wds)
14. Pledge
16. Most wet
18. Desiccated
20. Perfect

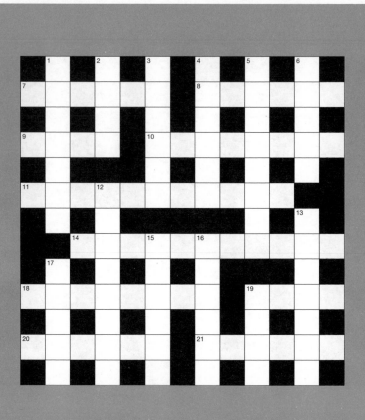

ACROSS

7. Panda food
8. Not out (2 wds)
9. Stored
10. Precise
11. Mutual discussion
14. Crossing hot ashes without shoes
18. Of incredible beauty
19. Cool and funky (slang)
20. Leave
21. Spring festival

DOWN

1. Provided food for
2. Adjoin
3. Language spoken in Djibouti
4. Rich big shot (2 wds)
5. Fictional detective
6. Vacant
12. Opposite of occidental
13. Betrothed
15. Expels
16. Reasoned
17. Semiaquatic weasel
19. Assume a position

ACROSS

1. Pail
4. Romances
9. Ballpoint, eg
10. Selfsame
11. Yell
12. Effective (2 wds)
14. Moved from one place to another
17. Hazel tree
18. Dogma
20. Triggers
22. Variation of reggae
23. Fake
24. German capital

DOWN

1. Ring road
2. Central African river
3. Being
5. Repeatedly
6. Use again
7. Artillery burst
8. Chief representative of a country (3 wds)
13. Sample
15. Pertains
16. Achieve
17. Tongue of fire
19. Rhinal
21. Large tank

ACROSS

8. Picture
9. Century
10. Provide fresh supplies
11. Inspire
12. 'What's that?' (2 wds)
14. So far
15. Fluid pouch in an animal
16. Series of ranks
19. Teach
21. Seaside
23. Nitpickers
24. Slow, in music

DOWN

1. Common type of acid
2. Type of vinegar
3. Champion
4. Spiritual focal point, in yoga
5. Badges of office
6. Food
7. Call attention; refer
13. Sticking
14. Boating
15. Workout exercises
17. Abundance
18. Fade with age
20. Neat
22. Team up

ACROSS

1. Small laugh
4. Llama relative
8. A billion years
9. Excite
11. Ripped
12. Got rid of
15. Very large spider
18. Suffering delusions of fear
19. Celebrity
21. Suggest
23. Tea holder
24. Illuminates
25. Beamed

DOWN

1. Visitors
2. Electricity maker
3. Without
5. Former opiate painkiller
6. 'Eureka!'
7. Meeting plan
10. Sweetener
13. Hands-on
14. Broadcast
16. Curved shape
17. Camera stand
20. Eve's mate
22. Gear

ACROSS

7. Intrinsic
9. Food product made by bees
10. Stray
11. Post-Victorian
12. Tour
14. Outer limit
16. Regardless of
18. Customer
19. Adolescents
20. Letter following chi
21. Indian title deed
22. Outcomes

DOWN

1. Seen
2. Level
3. Not moving (2 wds)
4. Desire a drink
5. Fully
6. The C in CMYK
8. Not even vaguely close (2 wds)
13. Fears; speculates
15. First in time
17. Kind of (3 wds)
18. Most ignoble
19. Wins
20. Buddies

ACROSS

1. Followed
5. Entities
8. Stalk
9. Remedy
10. Haughty
11. Young dogs
12. Functioning
14. Morals
16. Indian maid
18. Founded
20. Endurance
21. Winged mammals
22. Old Faithful, eg
23. Fashions

DOWN

2. Goes to bed
3. Carved gemstone
4. Avoid talking about (4 wds)
5. Make a tough decision (3 wds)
6. Highly detailed (2 wds)
7. Arise from bed (2 wds)
13. Acts properly
15. Made
17. Small, furry rodent
19. Wire

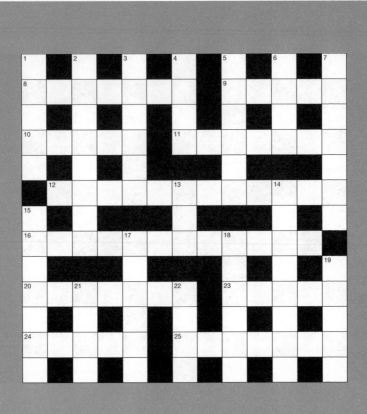

ACROSS

8. Heartache
9. Inbox content
10. Investigate
11. Gap
12. Complete freedom of action (2 wds)
16. Ardent
20. Alone, by ___
23. Deduce
24. Bad deeds
25. Carry out

DOWN

1. Gravelly
2. Unlettered
3. Most omniscient
4. 'Scram!'
5. 100 centimos
6. Cab
7. Marked for attention
13. Health scale (inits)
14. Hairdresser
15. Decrypted
17. On edge
18. Tremble
19. Liberates
21. Amend
22. Professional charges

ACROSS

7. Fleet of warships
8. Composed in verse
9. Sweep the eyes over
10. Three-panel picture
11. Factual TV show
14. With respect to money
18. Reuses
19. Big puddle
20. Small fish
21. 18th-century carriage

DOWN

1. Farm vehicle
2. Mown grass
3. Bovine animals
4. Painter
5. Crazed panic
6. Educate
12. Joining back together
13. Undistinguished person
15. Permits
16. Fortress
17. Letter-finishing stroke
19. Metal fastenings

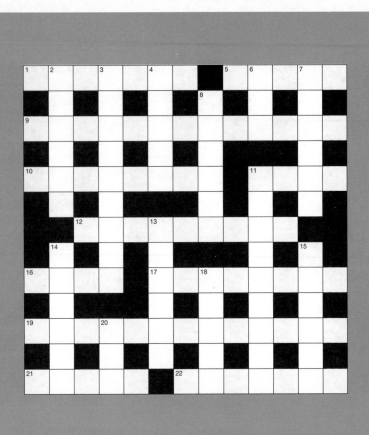

ACROSS

1. Surpass
5. Metalworker
9. Understanding
10. Equity
11. Days before
12. Asked for
16. Drift
17. Impetus
19. Drawings
21. Domestic cat
22. Large cushion
   for sitting on

DOWN

2. Sung by a group
3. Flawed
4. Landscape
6. Median
7. Two-seater
   bicycle
8. Faculties
11. Performance of
   a task
13. Angers
14. Spanish rice
   dish
15. Spanish
   chaperone
18. Angry
20. PC socket (inits)

ACROSS

8. Secret lover
9. Restore
10. Register at a hotel (2 wds)
11. Abated
12. Bought
14. Radio presenters (abbr)
15. Free
16. Digit-based
19. Throws
21. Long-tailed primates
23. Loops
24. Glue

DOWN

1. Crazy; eccentric
2. Worn
3. Hike
4. Main tree stems
5. Felon
6. Gym count
7. Hues
13. Truly
14. Lessen
15. Elaborately ornamental style
17. Champagne and juice drink
18. Endured
20. Knights
22. 'Nah'

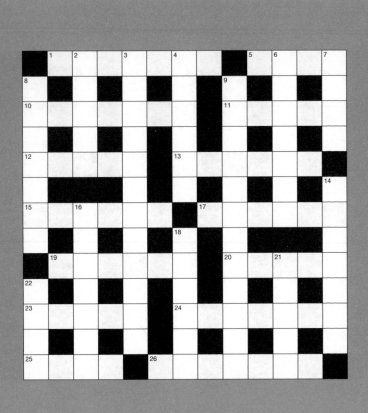

ACROSS

1. Unified state
5. Shower
10. Having up-to-date knowledge (2 wds)
11. Readily available (2 wds)
12. Apple beverage
13. Choosing
15. Fluster
17. Damage
19. Sports jacket
20. Start
23. 'The Hunter' constellation
24. Frenzied
25. Tense
26. Conforming

DOWN

2. Well-known
3. Making ineffective
4. Place of education
6. Receiver
7. Sleeps during the day
8. Throw away
9. Modern
14. Defend
16. Notifying
18. Modular house
21. Glossy fabric
22. Encryption system

ACROSS

7. 17th-century poem form
9. Amid
10. Deceased singer, Winehouse
11. Type of lapdog
12. Like a reptile's skin
14. Appalling act
16. Tuscan red wine
18. Wash your body
19. Tongues
20. Screen wizardry (inits)
21. Because
22. European Jewish language

DOWN

1. Earliest Mesozoic era
2. Just
3. Intensely
4. Is unable to
5. Predict
6. Fever
8. Without awareness
13. Positioning
15. Vision
17. Sickness
18. Next to
19. Young girl
20. Hair fastening

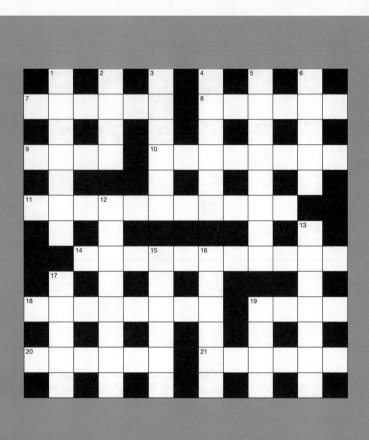

ACROSS

7. Useless
8. Consider identical
9. Store
10. Computer software
11. Focus
14. Ascertaining
18. Indelicate
19. Youthful and fresh
20. Cease trading (2 wds)
21. Goes in

DOWN

1. Right at this moment (2 wds)
2. Perspective
3. Combat tool
4. Autobiography
5. Cooked with cheese on top (2 wds)
6. Units
12. Might be horse?
13. Ignorant
15. Evacuates from a pilot's seat
16. Omitted
17. 'Yippee!'
19. Be extremely fond of

ACROSS

1. Souls
5. Seaweed jelly
9. Improve
10. Range
11. Propose
12. Almost never
14. Release from a catch
16. Illegible handwriting
18. Air taken into the lungs
19. Lots
22. Flaming
23. Brain cells
24. Widespread
25. Scales

DOWN

2. Leaves of a book
3. Opposing social reform
4. Conjecture
6. Ape
7. Sunbeams
8. Spare
10. Farming science
13. Nearest
15. That woman, personally
17. Globs
20. Audibly
21. Way off

ACROSS

1. Temporary
9. Mainly
10. Width equal to twice the radius
12. Release
14. Small particle
15. Hurl
19. Mournful cry
20. Final
22. Inconsistent
24. Completely plain

DOWN

2. Fish eggs
3. Extreme force
4. Cut up
5. Gemstone
6. Post-midday time
7. Digging tool
8. Keyed in
11. Leeway
13. Compound or substance
16. What one?
17. Ruler
18. Engages in fun
21. 'Curses!'
23. American countries alliance (inits)

ACROSS

1. Speech defect
4. Second month
8. Pencil remover
9. Hasty
10. Roofed colonnade
11. Chirrups
13. Offensive
16. Clergyman
19. Small children
20. Debt or obligation evader
22. Logic
23. Haphazardly
24. Throw

DOWN

2. Irascible
3. Corridor
4. Initial
5. Tortilla dish
6. Overturn
7. Bewail
12. Family
14. Proposition
15. Draw in
17. Inched
18. Filthy
21. Eggs

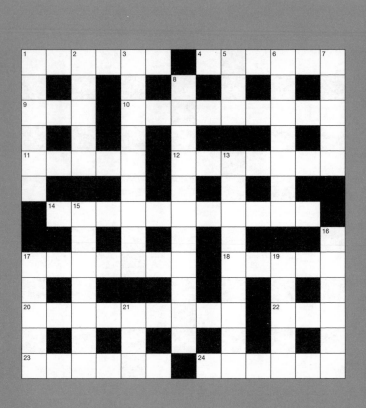

ACROSS

1. Confer
4. Amount
9. Company boss (inits)
10. Origin of a word
11. Smallest EU member
12. Offensive
14. Habitat
17. Long, tapering, edible root
18. Does not include
20. Food blender
22. YouTube clip
23. Deficits
24. Bikes

DOWN

1. Change into
2. Frown
3. Surgical procedure
5. ET's ship (inits)
6. Type of algebra
7. Verse
8. Non-magnetic directional instrument
13. Likewise
15. Unrelaxed
16. Digressions
17. Trainee
19. Polite
21. Poetic 'before'

ACROSS

7. National tree of India
8. Not yet digested
9. Bend a limb
10. Ensuing
11. Tropical seabird (2 wds)
14. Cartridge-based writing tool (2 wds)
18. Tradition
19. Raised platform
20. Shared
21. Remained

DOWN

1. Dud
2. Type of wild cat
3. Think up
4. Excellent
5. Brothers
6. Artificial waterway
12. Resplendent
13. Makes up one's mind
15. Tidily
16. Relaxed (2 wds)
17. Male admirers
19. Tie

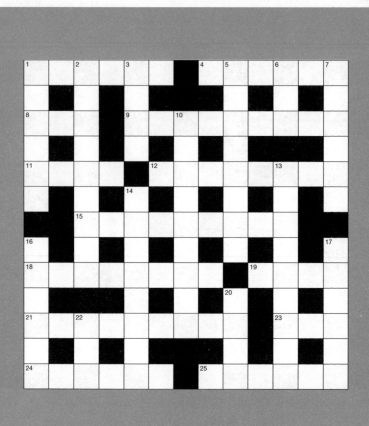

ACROSS

1. Strongly encouraging
4. Stylized Japanese drama
8. Beach Boys song, *Barbara* ___
9. Holidays
11. Large, showy flower
12. Clear mineral pieces
15. Gauging
18. Just the one
19. Poker stake
21. Large northern constellation
23. Consume
24. Death
25. Jerks

DOWN

1. Incapable
2. Adult males
3. Sea-based armed service
5. Creative
6. Half of *dos*
7. Take a firm stand
10. Distribute
13. Jason's mythic companions
14. Wonderful
16. Any country surrounded by water
17. Rejuvenates
20. Angel's instrument
22. Barrier

ACROSS

8. One who mends shoes
9. Ancient Greek marketplace
10. Parent's brother
11. Repeatedly pressing
12. Amount needed for a reaction (2 wds)
16. Contestants
20. Confined; tight
23. Complains about things
24. Charred remains
25. Settle

DOWN

1. Rub vigorously
2. Less well-known
3. Patron
4. Clench
5. Warm-blooded vertebrate
6. A barren plateau in Asia
7. Biggest
13. Murder-scene detective (inits)
14. Really
15. Distinctive
17. Force through
18. Nearly
19. Type of poplar
21. Sore; painful
22. Golden-yellow sea fish

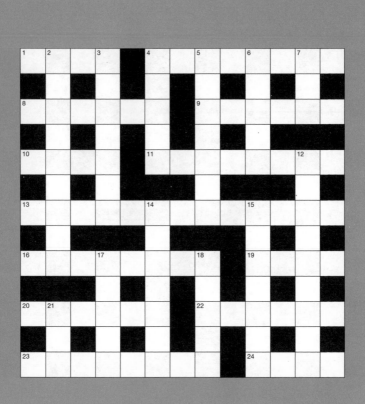

ACROSS

1. Seriously harm
4. Leadership
8. Male child sponsored at a baptism
9. Rotates
10. Marks
11. Sets up
13. Educational
16. Raided
19. Layer of dirt
20. Pulverize
22. Result of a negotiation
23. Arrows
24. Daily water movement

DOWN

2. Ornament
3. Compelling viewing
4. Italian seaport
5. Intervening time
6. Straighten up
7. Army bed
12. Rated
14. Acorn-bearing plant (2 wds)
15. Most prying
17. Accessory device
18. Goes out with
21. Lennon's Yoko

ACROSS

7. With greatest duration
9. A gonad, medically
10. Major California airport (inits)
11. Not connected
12. Upright
14. Brings into a country
16. Highest singing voice
18. Common birch-family tree
19. Set of working machine parts
20. Automobile
21. Alarm call
22. Sequences

DOWN

1. Clumps
2. Data
3. Outcome
4. Glob
5. Taken
6. Not naturally blonde, perhaps
8. Regions
13. Anticipated
15. Amaze
17. Adjusts
18. Regard with respect
19. Cruel
20. Metal containers

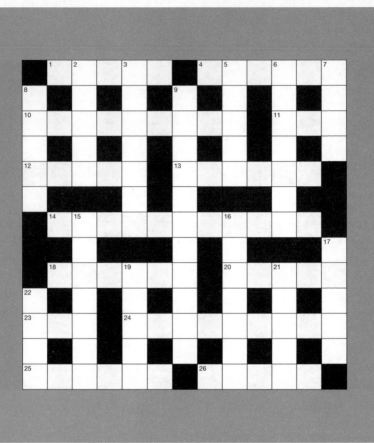

ACROSS

1. Assume
4. Mistreats
10. Hearing something
11. Bristle
12. South American rodent
13. Dickens's Dodger?
14. Large marine reptile (2 wds)
18. Cigarette addict
20. Japanese cuisine
23. Joke
24. Frog, eg
25. Masticated
26. Fairytale villains

DOWN

2. Covered in powder
3. Gather
5. Intolerant person
6. Common ocean-side bird
7. Dispatch
8. Piece of cake?
9. Dislike of everyone
15. Courting
16. Putting in jeopardy
17. Keyboard instrument
19. Jack
21. Connected hotel rooms
22. Heroic

ACROSS

7. Reunite
8. Long-legged wading bird
9. Remain
10. Teach
11. Betray
14. Forward-looking
18. Sketches
19. Unalloyed
20. Edit
21. Gorgeous

DOWN

1. Bring up
2. Reproduce
3. Dissimilar
4. Type of salad
5. Visitors
6. Arrive at
12. Coming apart at the seams
13. Generally
15. They keep your hands warm
16. Without difficulty
17. Large washing tubs
19. Cover with concrete or bricks

ACROSS

8. Extraterrestrial
9. Ending
10. Japanese acupressure
11. Tiny particles
12. Computer power-up prediction (2 wds)
14. Bit
15. Formatted text file-type (inits)
16. Or else
19. Iranian language
21. Titular
23. Advanced class
24. Severe abdominal pain

DOWN

1. Aromatic ointment
2. Click (3 wds)
3. Single entity
4. Real
5. Combat without mercy (2 wds)
6. Car
7. Muddled
13. Feelings
14. Three-sided shape
15. Decline
17. Famished
18. Tangle up
20. Cut of steak
22. Small rodents

ACROSS

1. Snare
4. Changing into
8. Steady
9. Sixty seconds
10. Indian flatbread
11. Schematic drawings
13. Number expert
16. Prompt
19. Type of salamander
20. Not susceptible
22. Irish, eg
23. Inverts
24. Sees

DOWN

2. Explanation
3. Print
4. Procreate
5. Concise
6. Large country house
7. Louse's egg
12. At the same time
14. Small people
15. Yield
17. Harden
18. Tempers
21. *The Simpsons* bar owner

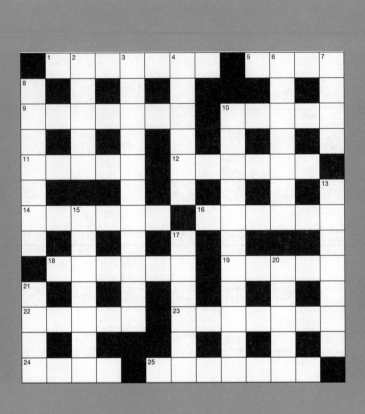

ACROSS

1. Apportions
5. Uncut bread
9. Graph output device
10. Prayers
11. Scarcer
12. Large concert venues
14. Place of business
16. From the beginning (2 wds)
18. Gimmick
19. Do very well
22. Leaving
23. Mass books
24. Former Venetian magistrate
25. Moved angrily

DOWN

2. Scrub hard
3. Taking part with other people
4. William the Conqueror, eg
6. Aromatic culinary herb
7. Swift
8. Type of songbird
10. Ancestor
13. Unwise
15. Liberating
17. Let
20. Rage
21. Old

ACROSS

1. Mummify
4. Sneaky, deceitful person
8. Cereal box figure (inits)
9. Large hills
11. Playboy
12. Numerous
15. Creators
18. Clothes-eating-insect repellent
19. Atop
21. Original example
23. Penultimate month (abbr)
24. Bird in the Turdinae subfamily
25. Become unhappy

DOWN

1. Mistakes
2. Pirate curse (2 wds)
3. Appendage
5. Authorizes
6. A capuchin monkey
7. Minor
10. Remarkably
13. Delayed
14. Shoemakers
16. Effect
17. Not uniform
20. Very large; huge
22. Writable optical media

ACROSS

7. Spud
8. Voids
9. Stare
10. Across-the-board
11. Ending
14. Bookkeepers
18. Inhabitants
19. Nigh
20. Department
21. Scope

DOWN

1. Underwater eye protection
2. Companion
3. Toxin
4. Mother or father
5. Rhetorical word repetition
6. Flared skirt type
12. Automated devices
13. Stretches with great effort
15. Unlock a shop (2 wds)
16. Chows down
17. Pictorial word puzzle
19. Memo

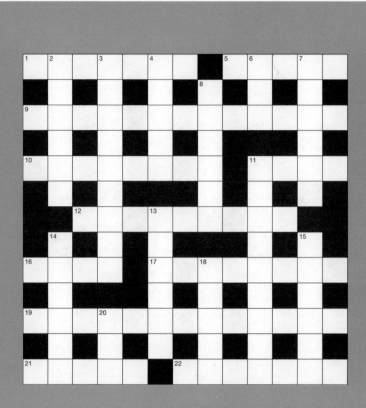

ACROSS

1. Daily allowance (2 wds)
5. Flower used for making chains
9. Trickery
10. Fiasco
11. Augury
12. Onlookers
16. Titanic's ruin (abbr)
17. Lobbing
19. Bother
21. Post
22. Flaw

DOWN

2. Panacea
3. Debasing
4. Type of heron
6. Diving seabird
7. Look closely at
8. Tennis and soccer
11. Engulf
13. Indigenous
14. Snack legume, often roasted or salted
15. Criticizes
18. Relating to the kidneys
20. Resistance unit

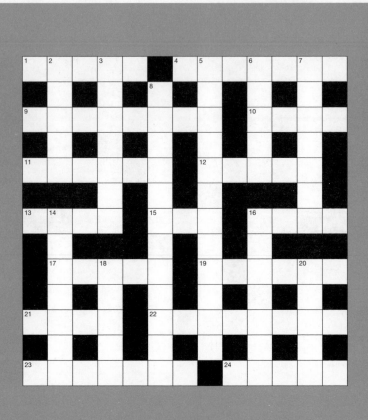

ACROSS

1. Barb
4. Etch
9. Black coffee (2 wds)
10. Ongoing argument
11. Typing
12. Avoids work
13. Alcoholic drink
15. Online gasp (inits)
16. Pack animal
17. Penned
19. To settle comfortably
21. Habit
22. Impacted
23. Retrieve
24. Brief, bright light

DOWN

2. Flat food dish
3. Retaining
5. Meat slicer (2 wds)
6. Very bad
7. Advice
8. Large corporation
14. Did 17 across again
16. Pleasing to the ear
18. Exceed
20. Dirty looks

ACROSS

7. Practical, not theoretical
9. Love
10. Not bright
11. Accurately
12. Dwells
14. Dropping in temperature
16. Porch
18. Conforms
19. Oversensitive
20. Tint
21. Absolute
22. Stored away

DOWN

1. Rockfall
2. Unwanted email
3. Game components
4. Become fond of (2 wds)
5. Slow-moving reptile
6. Large group
8. Listings
13. Confirmed
15. Regularly date (2 wds)
17. Skip over
18. Musical dramas
19. Sprint
20. Park boundary ditch

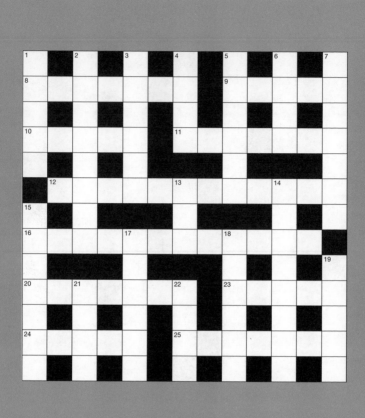

ACROSS

8. Searching
9. Lift
10. Pivotal
11. Communicates with gestures
12. Eighteen, in many countries (3 wds)
16. Social imbalances
20. Modified
23. Bury
24. Despised
25. Clearly apparent

DOWN

1. Treatise
2. Sweet, whipped bakery product
3. 'I'll make it happen' (2 wds)
4. Ova
5. Source
6. Haughty, spoiled woman
7. Concentration
13. Military rank (abbr)
14. Expulsion
15. Predatory South American fish
17. Messy
18. Steal
19. Outer part of bread
21. Skills
22. Terrible fate

ACROSS

7. Meaningless words (2 wds)
8. Related to cats
9. Greenish-blue
10. Evenly; constantly
11. Fail to work properly
14. Resulting decisions
18. Pupils
19. Unpaid sum
20. Gave notice
21. Encipher

DOWN

1. Predicted
2. Comet trail
3. Emerged
4. Result
5. Showy plants of the iris family
6. Leg-to-foot joint
12. Inundating
13. Some person
15. North American nation
16. Unobserved
17. Drinking tube
19. Quacking bird

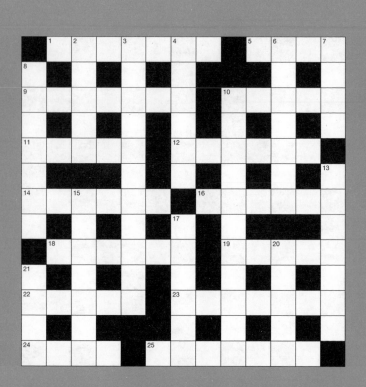

ACROSS

1. Lancelot's son
5. Tidy
9. Reminds of lines
10. Seize
11. Bulge
12. Free from an obligation
14. Fluid
16. Tab in
18. Unevenly cut
19. Command
22. Fret
23. Set up
24. First medal position
25. Iranian

DOWN

2. Overhead
3. Really badly
4. Reply
6. Model
7. Cassette
8. Biblical letter
10. Fully glazed buildings
13. Alarm
15. Dispute
17. Counsel
20. Roman moon goddess
21. Deep gulp

ACROSS

1. Soak
4. Seamy
8. Plan
9. Except for (2 wds)
11. It replaced the franc and mark
12. Finding
15. Least wide
18. Type of guitar
19. Selection of hot and cold plates
21. Contingent
23. She was once Mrs Sinatra
24. Notched
25. Loll

DOWN

1. Got rid of
2. Artificial European language
3. Cajole
5. Antiquated
6. TiVo, eg (inits)
7. Hurt
10. Say sorry
13. Usually (3 wds)
14. Attendance
16. Arboretum
17. 'Mind out'
20. Roman emperor, AD 32-69
22. Snapshot

ACROSS

7. Least beautiful
9. Adult insect
10. Scheduled arrival (inits)
11. Layout
12. Shun
14. Began
16. Palma's island
18. Common European viper
19. First-rate
20. *Game of Thrones* character, Snow
21. Part
22. Strategy

DOWN

1. Tepid
2. Pond organism
3. Aided
4. Big-screen venue
5. Gifted
6. Butting animal
8. Clear
13. Protested
15. Absence of light
17. Depended
18. Assault
19. Trade show
20. Lock up for a crime

ACROSS

1. Tally
4. Awful
9. Area of extreme soil erosion (2 wds)
10. Selves
11. Improve
12. Suitably
13. Puts sails on a boat
15. Signal 'yes'
16. Prompted an actor
17. Terror
19. Domiciled
21. Lost blood
22. Less dark
23. Erudite
24. Notices

DOWN

2. Reason
3. Limited food supplies
5. Shackle (3 wds)
6. Perspire
7. Painkiller
8. Able to be transmitted
14. Sudden whim
16. Pay money (2 wds)
18. Lowest point
20. Incident

ACROSS

7. Consisting of the smallest particles
8. Brass-plate percussion instrument
9. Filth
10. Countermand
11. Furniture to eat at (2 wds)
14. Gathered over time
18. Cogitating
19. Spouse
20. Collapse
21. Authorized document certifier

DOWN

1. Type of international post
2. Most excellent
3. Potent
4. White outer layer of the eyeball
5. Parasol
6. Useful
12. Perfumed smokes
13. Speech
15. Workers' groups
16. Pressing
17. Glass vessel
19. Minute arachnid

ACROSS

1. Supine
5. Medical lab specimen
9. Fatigue
10. Babies' beds
11. Hindu forehead decoration
12. Perform
14. Lessen
16. Jail
18. Pillar
19. Biblical tower
22. Profoundness
23. Choices
24. Drinks mixer
25. Individuals

DOWN

2. Looking pale with fear
3. Backless sofa that doubles as a bed (2 wds)
4. Electorate
6. Authors
7. Foundation
8. Maternity-ward baby
10. Adds
13. Unceasing
15. Fell
17. No specific people
20. Moved by an air current
21. Mid-month day

ACROSS

1. Procession of people
4. Paltry
9. 'Alias' (inits)
10. The distant universe (2 wds)
11. Ape
12. Encrypted
14. For no good reason
17. First or second, eg
18. Allium
20. Swaps
22. Director, Mendes
23. Widen
24. Seer

DOWN

1. Type of TV
2. Give new weapons to
3. Subtraction
5. Canon SLR camera system (inits)
6. Outrage
7. Cede
8. The study of weather
13. Peculiarly
15. Extreme
16. Like a pithily memorable saying
17. Upright (2 wds)
19. Overlaid map enlargement
21. Statute

ACROSS

1. Company
4. Ministering to
8. Cause a change
9. Revoke a law
10. Chase
11. High status
13. Ill at ease
16. Anticipated; guessed
19. Summit
20. Indian spice mix
22. The sale of goods
23. Items of food
24. Stopped living

DOWN

2. Sway
3. Conductor
4. Name
5. Before now
6. Apache abode
7. Contract enforcing secrecy (inits)
12. Variety of aquilegia
14. Post sent to celebrities (2 wds)
15. Expected
17. Eucalyptus-eater
18. Presumes
21. Blind __ __ bat (2 wds)

ACROSS

1. Waterways
4. Sake
8. Data-rate metric (abbr)
9. Daily printed publication
11. Kimono sashes
12. Scans some text incorrectly
15. Disliked
18. Beast
19. Nothing more
21. Residue
23. Large Australian bird
24. Lackey
25. Says

DOWN

1. Decoration for a present
2. Entrance lobby
3. Flows
5. In a highly knowledgeable manner
6. iPhone purchase
7. Large wood
10. Spoken quietly
13. Treaty
14. Spluttering
16. Terrifies
17. Fixes computer software
20. Court order
22. Chinese Chairman

ACROSS

7. Exaggerate
8. Mental health
9. Simmer
10. Toddler's pedal vehicle
11. Digest
14. Its capital is Bismarck (2 wds)
18. Recalled experiences
19. Very similar
20. Six-legged creature
21. Crushed rocks

DOWN

1. Sustained show of appreciation
2. Expand
3. Relating to the mail
4. Casual top
5. 'What I think is' (3 wds)
6. Calm
12. Riled
13. Hits
15. Month length in days?
16. Plan
17. Denim legwear
19. Apart

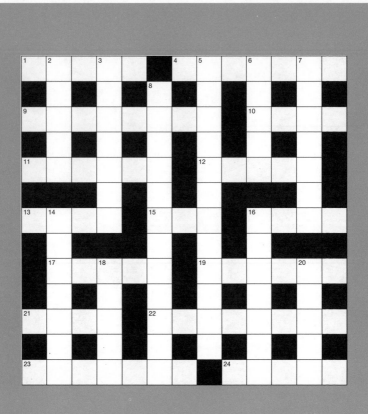

ACROSS

1. Oar
4. Incomplete
9. Captive
10. Ceremonial staff
11. Pea or lentil, eg
12. Intersection points
13. Sheet of ice
15. Digit
16. Prescribed amount
17. Shortest digit
19. Force
21. Percussion instrument
22. Liberty
23. Looked quickly
24. Expression

DOWN

2. Big
3. Quarrel
5. Layouts
6. Regulated; measured
7. Charges
8. Animal without a backbone
14. Precise
16. Stated the meaning of
18. Emasculate
20. Juliet's lover

ACROSS

1. Shadow
4. Low singers
10. Aiding
11. Hill
12. Dug up
13. Small, dark-red fruit
14. Company providing advice
18. Minor
20. Automaton
23. Rock containing metal
24. Suggesting
25. Slows down
26. Jumps a rope

DOWN

2. A quark and an antiquark
3. Lives
5. Pond scum
6. Relating to parody
7. Agile
8. Heats up
9. Blood flow
15. Drilled-petroleum site (2 wds)
16. Space-station entry area
17. Exaggerated
19. Small aquarium fish
21. Dirigible
22. Loathsome person

181

ACROSS

7. Reversing
9. Muslim body covering
10. Arid
11. Referenced
12. Tale
14. Spins
16. Middle
18. Nerd
19. Polite
20. Rent
21. More certain
22. Firing

DOWN

1. Dead-end street
2. Casually
3. Sturdily
4. Double-reed player
5. Having dark hair
6. Three feet
8. Makes less specific
13. Plant and meat eater
15. Deliberate damage
17. Leaders
18. Reason out
19. Large, round container
20. Animal flank

ACROSS

8. Coarse
9. Tightly
10. Large African stork
11. Tender
12. Skim a book (2 wds)
14. Aged
15. Some law degrees (abbr)
16. Stood for
19. Pulsate
21. Joining together
23. Contact
24. Bed covering

DOWN

1. Painting borders
2. Divides into four
3. Freshwater, ray-finned fish
4. Blame
5. Self-righteous helper
6. Feudal slave
7. Crossbreed
13. Information store
14. Boundaries
15. Flask
17. Bemoan
18. Fingers
20. A large quantity
22. Corrode

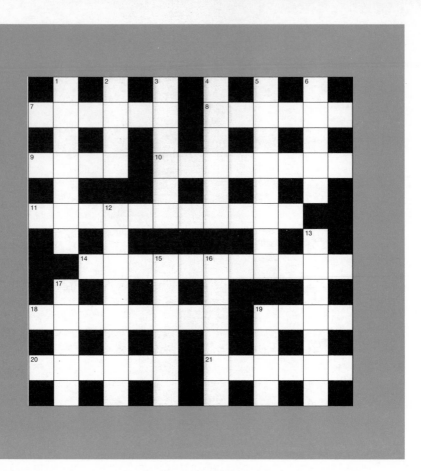

ACROSS

7. Noisy grass insect
8. Coalition forces
9. Nasty person
10. Open
11. Anger at an inability to do something
14. Contest
18. Took for granted
19. Rear of the human body
20. Cloth
21. Asylum seeker

DOWN

1. Vocalists
2. Rouse from sleep
3. Powerful cat
4. Theatrical dance
5. Obscure with dark ink (2 wds)
6. Start again
12. Charitable donors
13. Care
15. Light volcanic rock
16. Cleans
17. Fantasy
19. Deliberately taunt

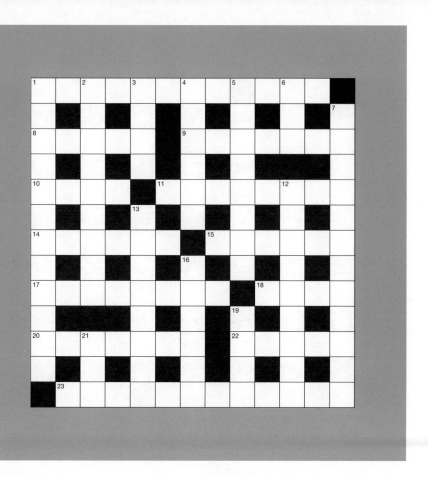

ACROSS

1. Two-floored bus
8. Sound through the mouth
9. Hazy painting technique
10. Relaxed: ___ back
11. Almond confection
14. Central truths
15. Waterproof overshoe
17. Client
18. Alongside
20. Nuclear power generator
22. Area between the ribs and the hips
23. Experience hardship (3 wds)

DOWN

1. Cavalier
2. Computer tools
3. Collateral property
4. Bleak
5. Nerve
6. Age
7. 'Drink up!' (3 wds)
12. Piece of food
13. Everlasting
16. Fireside
19. Exchange
21. Beer

ACROSS

1. Metal with atomic number 30
4. Impediments
8. Small pieces of rock
9. Esteemed
10. Former 'Tickle Me' toy
11. Leg clothing
13. Involving dramatic change
16. Unbelievers
19. Calf meat
20. Tooth covering
22. Northern European sea
23. Bleach
24. Indian style of meditation

DOWN

2. Mental powers
3. Briskly, in music (2 wds)
4. Harass
5. Pasta envelopes
6. Cays
7. Cereal grass
12. Parsing again
14. Twentieth Greek letter
15. Originality
17. The hero of *The Lego Movie*
18. Not drunk
21. 'I'll pass'

ACROSS

1. Deliver (2 wds)
5. Ancient Celtic alphabet
10. Compel observance of
11. Deck crew
12. Woolly ruminant
13. Skulked
15. Goal
17. Model used for testing
19. Less at ease
20. Amber, eg
23. Bear
24. Sends in a form, perhaps
25. Droops
26. Depending

DOWN

2. Gun
3. Viewpoints
4. Lacking strength
6. Weapons location on a ship (2 wds)
7. Skip
8. Edition
9. Dance arranging
14. Mexican language
16. Deeming
18. Historical shin protector
21. Notable descendant
22. Gaping animal throats

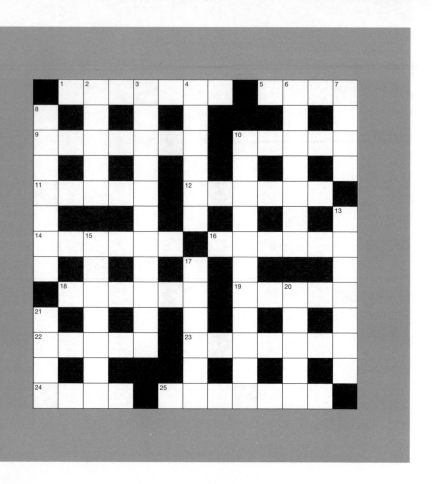

ACROSS

1. Subsiding
5. Vomit
9. Simplest
10. Outfits
11. Gentle push
12. Having
14. Not far away
16. Coiffure
18. Indulgence
19. Messes
22. Chipped potatoes
23. Inures
24. Observed
25. Dante's hell

DOWN

2. Located
3. Approximately
4. Idea
6. Associate
7. Small piece of cloud
8. Significance
10. Armed police force
13. Own
15. Extremely insulting
17. Large, crushing snake
20. Tidy up
21. Kills

ACROSS

1. Allege
4. Waterfall
9. Memory device
10. Alpine goat
11. One who has suffered harm
12. Liabilities
13. Sums
15. Card game
16. Divides
17. Alarm
19. Pointing
21. Cougar
22. News report
23. Thwarts
24. Scatter around

DOWN

2. National dress of Myanmar
3. Convicts
5. By mistake
6. Scale
7. Recessed
8. Inconceivable
14. Revulsion
16. Remark
18. Domain
20. Gullible

ACROSS

7. NATO phonetic 'S'
8. At a high volume
9. Snick
10. Student assignment
11. Management
14. Briefly (3 wds)
18. Written diaries
19. Large ring
20. Animal dung
21. More horrible

DOWN

1. Gravitas
2. Support
3. Sire
4. Tongues of fire
5. Surpass
6. Disparages
12. Extraordinary
13. Permitted
15. Closer
16. Even chance
17. Wanderer
19. Ship body

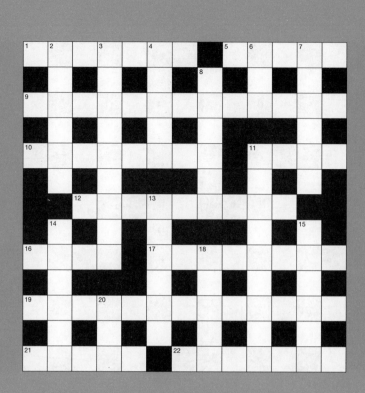

ACROSS

1. Matters
5. Kicks
9. Relating to gardening
10. Site
11. Stay overnight in a tent
12. Emphasizing
16. Blunders
17. Receive a degree
19. Regrettably
21. Closes
22. Avoiding, as in danger

DOWN

2. Lower room surfaces
3. Removes the need for interaction
4. Coastal sea danger
6. Eskimo knife
7. Wound
8. Explosions
11. Took advice from
13. Fourscore
14. Type of fry
15. Taken without permission
18. Dissolve
20. Pick

ACROSS

7. Connected
9. Hindu saint
10. Resin
11. Notwithstanding (3 wds)
12. Doubly
14. Supply too many staff
16. More spry
18. ISP connection device
19. Retrospective knowledge
20. Entirely
21. Taut
22. Deviates

DOWN

1. Scare
2. Svelte
3. Clothes
4. Voyage
5. Respected and admired
6. Repeated musical phrase
8. Dejected
13. Impending
15. Anonymous
17. Eavesdrop
18. Reason for an action
19. Sheds
20. Askew

ACROSS

8. Fool's Day month
9. Approximately
10. Ancient Egyptian king
11. Arrives
12. Persuasive speech
14. Sixth sense (inits)
15. Umpire
16. Female shop assistant
19. Greek letter after rho
21. Wild
23. Mutt
24. A twin crystal

DOWN

1. Test
2. Sever (2 wds)
3. Elbow bone
4. Oliver Twist, eg
5. Follows
6. Fraud
7. Biblical shrub
13. On a higher floor
14. Proof
15. Continue
17. Evens
18. Rubbish
20. Man
22. Units represented by an omega

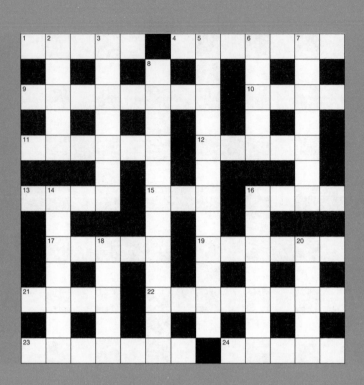

ACROSS

1. Artist's protective wear
4. Fit
9. Opposite of 'third power' (2 wds)
10. Ethereal
11. Summer trousers
12. Open-jawed
13. Raced
15. Long, narrow inlet
16. Very many
17. Italian baked dough dish
19. Although
21. Aspersion
22. Became subject to
23. Occurring
24. Cartoon canine

DOWN

2. Orifice
3. Wiped
5. Profligacy
6. Andean transport animal
7. Most difficult
8. Preservation
14. Fashionable
16. Generous
18. Noughts
20. Static

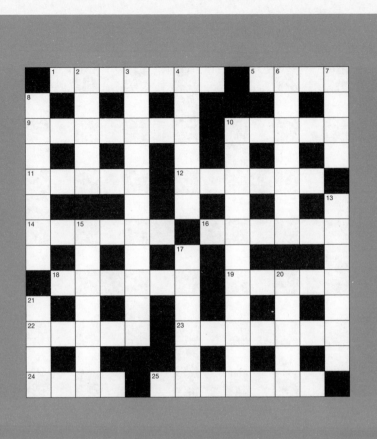

ACROSS

1. Specialist school
5. Land measure
9. Modifies
10. Sphere
11. One hundredth of a rial
12. Cream-filled cake
14. Pardon
16. Steep-sided gully
18. Weeping
19. Soaked
22. Loud, jarring sound
23. Paradise
24. Yin counterpart
25. Parts

DOWN

2. Spicy cuisine
3. Upsetting
4. Expert
6. Spicy pork sausage
7. Always
8. Manages
10. Bullion deposits in a central bank (2 wds)
13. Christmas or Easter (2 wds)
15. Window covering
17. 007 and friends?
20. Award, perhaps
21. Gross; unpleasant

195

ACROSS

7. Alarm-call bird
8. Brewing crockery
9. Egg cell
10. Writes
11. Indicative
14. Organized
18. Ice-cold
19. Mother of Jesus
20. Not obvious
21. Winter, eg

DOWN

1. Studies
2. Remove fat from milk
3. Blanket wrap
4. Family tree
5. It's divided into North and South
6. Biblical prophet
12. Undertakings
13. Sleeping chamber
15. Destroyed
16. Consume
17. Scam
19. Animal flesh eaten as food

ACROSS

1. Noble
5. Olympic rewards
8. Expectorated
9. Drivel
10. Second-person singular pronoun
11. Plate
12. Begins
14. Programming
16. Unbleached linen
18. Cut short
20. Clothes cupboard
21. Small child
22. Cutting edges
23. Influenced

DOWN

2. Take advantage of
3. Exterior
4. Chats
5. Makers
6. Much feared
7. Tilts to one side
13. Smoothed
15. Memorable
17. Move on hands and knees
19. Venomous snake

ACROSS

7. Rubber drive band in an engine (2 wds)
9. Exit
10. Climbing vine
11. Senior manager
12. Take pleasure in
14. Took out to dinner, eg
16. Stringed Indian instrument
18. Grades
19. Instrumentalists
20. Female roe
21. Self-respect
22. Dispatched

DOWN

1. Military leaders
2. Dark
3. Just
4. Article
5. Room heater
6. Hereditary unit
8. Histrionics
13. Period between Triassic and Cretaceous
15. Goes down
17. Core parts
18. Compact mountain group
19. Charts
20. Trick; fool

ACROSS

8. Conjunction expressing a choice
9. Improbable comedy
10. Travels on
11. Cut out
12. Reduction
16. Make a humiliating apology (3 wds)
20. Pushed down
23. Slow down
24. At no time
25. Employees, eg

DOWN

1. Avowed
2. Tie (2 wds)
3. Rifts
4. Guitarist, Clapton
5. Second-largest continent
6. Leak slowly
7. Blushes
13. Priest's robe
14. Simulated
15. Reply
17. Dubious
18. Fireplace remainders
19. Curt
21. Covet
22. Sunrise

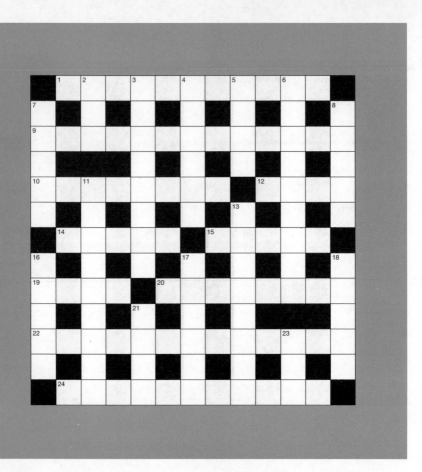

ACROSS

1. Concert
9. Make good on a commitment (2 wds)
10. Openly visible (2 wds)
12. Ergo
14. Honestly
15. Decants
19. Buck
20. Flop
22. Brain scientists
24. Study of digital circuits

DOWN

2. The twelfth letter of the alphabet
3. Soccer
4. Hold
5. Ambience; mood
6. Throat lozenge (2 wds)
7. Fasten
8. Spirit or apparition
11. Depiction
13. Thug
16. Square or circle
17. Monet tree
18. Animal
21. Trendy
23. 'Literally'

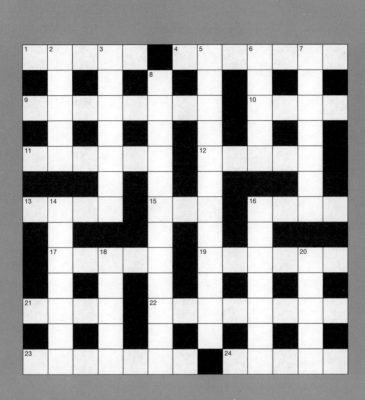

ACROSS

1. Corkwood
4. Throw into confusion
9. Field event (2 wds)
10. Pile
11. Diversion
12. Scope
13. Greek god of war
15. Native American tribe
16. Cry of pain
17. Penalized
19. Bury
21. Troika
22. Observing
23. Change direction
24. Window material

DOWN

2. Occur
3. Educates
5. Reforms
6. Drug recovery course
7. Artificial; unnatural
8. Environs
14. Sports umpire
16. Visual
18. Snare
20. Less

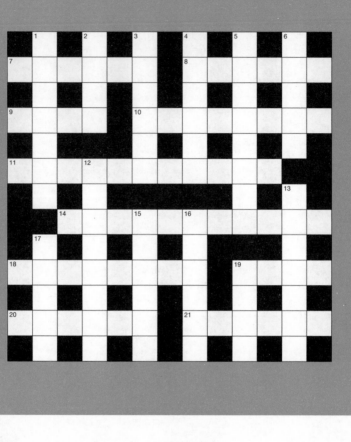

ACROSS

7. Corn-cutting tool
8. Soldiers
9. Thick slice of meat
10. Flooding
11. Disreputable but attractive quality
14. Antagonists
18. Fitted to size, as clothes
19. Battery unit
20. Elasticity
21. Is

DOWN

1. Not listen accurately
2. Omit
3. Stanzas
4. Pressure
5. Songwriter
6. Backbone
12. Playing the violin
13. *Big Brother* TV genre
15. Won
16. Abrupt
17. Main
19. Blood vessel

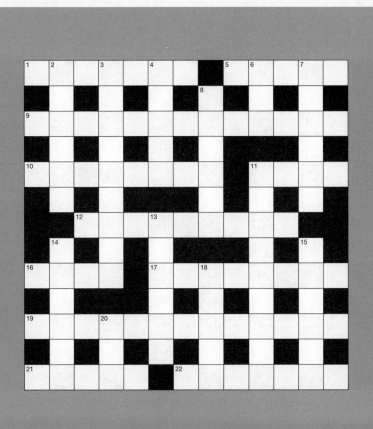

ACROSS

1. Leaps quickly
5. Ramp
9. The creeps
10. Heeded advice
11. 1920s art style
12. Protestant denomination
16. Adjust type spacing
17. Turning down
19. Worldwide
21. Sturdy
22. Foes

DOWN

2. Lyric
3. Intermediate
4. Learn bit by bit
6. Throw
7. Deliver a sermon
8. Going in a certain direction
11. Dirt-ridden whirlwind (2 wds)
13. Employing
14. Organ rupture
15. Madden
18. Conform (2 wds)
20. Muslim feast day

ACROSS

8. Laughing animal
9. Impartial
10. Snob
11. Pare
12. Evolved
14. Second postscript (inits)
15. If you wouldn't mind (abbr)
16. Chance to get ahead, in tennis? (2 wds)
19. Enter
21. Boring
23. Coach
24. Diving bird

DOWN

1. Protect from danger
2. Alleviates
3. West African republic
4. Together (2 wds)
5. Pretentious
6. Indic language
7. Foreigners
13. Illuminating
14. Polluted
15. Reproduces on a press
17. Automobiles
18. Examined
20. Apple relative
22. Canines

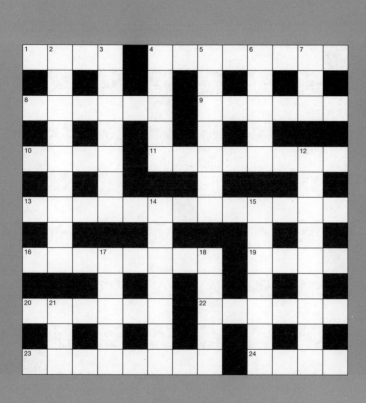

ACROSS

1. Online photo, perhaps (inits)
4. Foolhardy
8. Merged
9. Robber; bandit
10. Tuber
11. Took manual control of, as a machine
13. Drainage basin (2 wds)
16. Helpfully
19. Small bouquet
20. Type of essential oil
22. South American river
23. Alarms
24. Well balanced

DOWN

2. Suggestions
3. Hereditary
4. Audio receiver
5. Draw near (2 wds)
6. Afterwards
7. Ocean
12. Rebuke (2 wds)
14. A thousand thousand
15. Entreaties
17. Scowl
18. 'A very long time'
21. Perón's wife

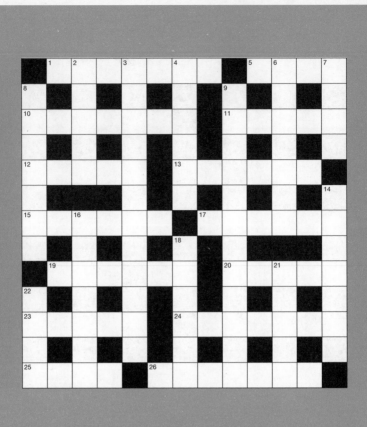

ACROSS

1. Rotates, as on a chair
5. Communion service
10. Pays up
11. Key
12. Guidance system at sea
13. Run out
15. Cattle trough
17. Corkscrew, eg
19. Looking glass
20. Recorded
23. Submerge
24. Prompts
25. Ooze
26. Not given, as a question

DOWN

2. Everyday liquid
3. Offering to do something
4. Itemized
6. Movable wing part
7. Position
8. Places for the condemned
9. Large, semiaquatic African mammal
14. Prissy
16. Having an obnoxious smell
18. Rehearsal (2 wds)
21. Parts of a pound
22. Chances

ACROSS

7. 'I've solved it!'
8. Pulls the plug on
9. Wood cutter
10. London and Paris
11. A wish for a good night's sleep (2 wds)
14. Primitive human
18. Speck of dust
19. Aquatic vertebrate
20. Leisurely walk
21. Ceremonial fur

DOWN

1. Dilapidated
2. At this place
3. Moved rhythmically
4. Long-tailed crow
5. Scorn
6. Steps over a fence
12. Negative particle
13. Taking a break
15. Pleasantly
16. Smoothed out
17. Desires
19. Renown

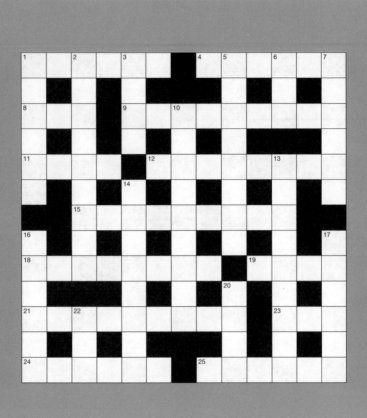

ACROSS

1. Mix socially
4. Julius Caesar's nemesis
8. Yahoo competitor (inits)
9. Operation
11. Depressions
12. Granted
15. Hedonism (2 wds)
18. Derives
19. Block
21. Fabled
23. Smear
24. Things to see
25. Member of a learned society

DOWN

1. Modest
2. Measure of data flow
3. 'My bad!'
5. Bombast
6. Maundy day (abbr)
7. Uses money
10. Large musical group
13. Relating to a particular language form
14. Woodwind instrument
16. Names
17. Grief
20. Funerary pile
22. Two-wheeled carriage

ACROSS

1. Recreation
4. Requires
9. Natural impulse
10. Audacity
11. Mexican national flower
12. Primitive
13. Cooking fat
15. To mock
16. *This Is 40* actor, Paul
17. Male monarchs
19. Nominating
21. The Three Wise Men
22. Learned
23. Turns the mind
24. Remains

DOWN

2. Bamboo-eating animal
3. Agitated
5. Impresario
6. Prophet
7. Late
8. Glowing with heat
14. Clumsy
16. Runaway
18. Din
20. Destitute

ACROSS

8. Six-sided shape
9. Court official
10. Italian mother
11. Mass celebrants
12. Endless
16. Key energy food type
20. Food preparation instructions
23. Poetry
24. Name words
25. Senior college members

DOWN

1. Disgrace
2. Test reviewer
3. Related on the father's side
4. Photo
5. WikiLeaks founder, Assange
6. A particular one of these
7. Collides
13. Could
14. Shower chamber
15. Tallying
17. Resist
18. Insurrection
19. Fewest
21. He couldn't turn the tide
22. Not in any danger

ACROSS

7. The United States
9. Discharge slowly
10. Kipling novel
11. Dismissal of a proposal
12. Stares stupidly
14. Swaying to music
16. Severe
18. 'Very', in music
19. Agreed
20. Calendar opener (abbr)
21. Hungarian composer
22. Economizes

DOWN

1. Boxed
2. Believe
3. Orange and lime relative
4. Signal light
5. Of a court of law
6. Used in fluorescent lamps
8. Makes a formal judgement
13. Lack of strength
15. Virtue
17. Goodies
18. Recent
19. Basic unit of a living organism
20. Leap

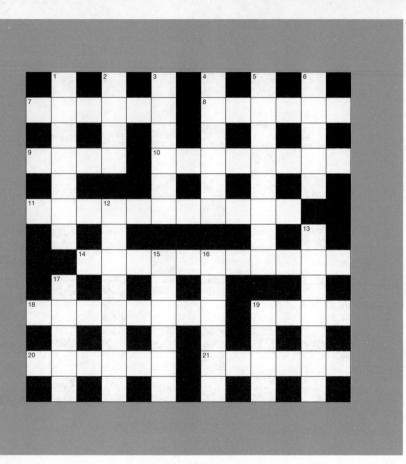

ACROSS

7. Sack
8. Bureau
9. Tedious and lengthy
10. Substitutes
11. Lettuce and anchovies dish (2 wds)
14. Not available for use (3 wds)
18. Gradually (3 wds)
19. Sailors
20. Harsh
21. Unwrapped

DOWN

1. Track
2. Solemn promise
3. Obscenity checker
4. Aged metal coating
5. Retailer
6. Pimpled
12. Tripped
13. Frets
15. Lots and lots
16. No matter what
17. Minded
19. Youth

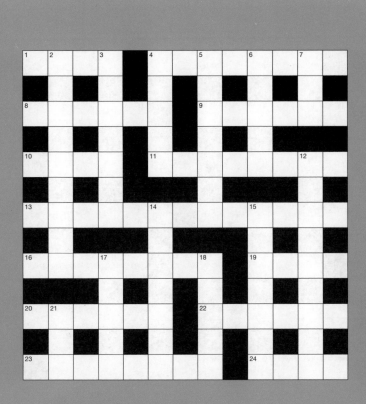

ACROSS

1. They might be spare, in a meal
4. Reckons
8. Futile
9. An octave
10. Capital of Italy, to an Italian
11. Repeated learning of a skill
13. Gossip network (2 wds)
16. Upright
19. Skid
20. Concert sites
22. Circus tent (2 wds)
23. Offer of marriage
24. Dispatched

DOWN

2. Acquaint
3. Tummy
4. Slumber
5. Introduction
6. Is required
7. Phone-system number (abbr)
12. The Goat
14. Forgives
15. Steps down
17. Outdo
18. Tag
21. Hearing organ

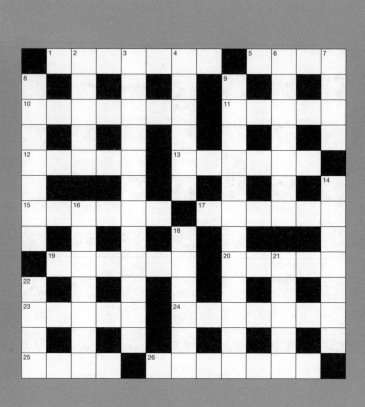

ACROSS

1. Persecute
5. Shallow river crossing
10. Device for grilling bread
11. Reversed
12. Theme
13. Complete
15. Anticipate
17. Solemn promise
19. Judge
20. Schedule
23. Disney's flying elephant
24. Vertical
25. Edge
26. On a bike

DOWN

2. Sow
3. Approval
4. Waiter or waitress
6. Commanded
7. Queen of Carthage
8. Ready for mailing, perhaps
9. With several parties
14. Says again
16. Ancient Egyptian monument
18. Live in
21. Started
22. Fusses; bustles

ACROSS

8. Misery
9. Not asleep
10. A smaller number
11. Assents
12. Explain (3 wds)
16. Unfamiliarity
20. Potential problem
23. Eskimo
24. Peer
25. Chosen

DOWN

1. Enlighten
2. In general (3 wds)
3. Bleak and lifeless
4. Ages
5. Small glass sphere
6. Dry ravine
7. Ships
13. Your and my
14. Reports
15. Rending
17. Hoped
18. Went out
19. Simple ear adornments
21. Bass trumpet
22. Untruths

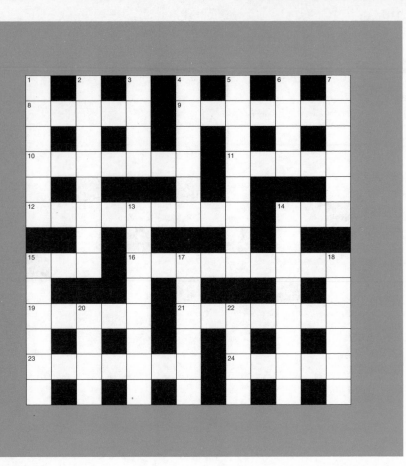

ACROSS

8. Battery terminal
9. Ponderously
10. Keepsake
11. Sugary
12. Variable
14. March-to-June season (abbr)
15. Purchase
16. Algebraic formulas
19. Confess
21. Ruined
23. Longitudinal brace in the base of a ship
24. Azerbaijan monetary unit

DOWN

1. Stretch, perhaps (2 wds)
2. Previously
3. Boy's name
4. Back-of-mouth passage
5. Ancient language
6. Cut into cubes
7. Luxury seafood
13. In a majestic manner
14. Shameful
15. Empty bullets
17. Relax after a tense period
18. Calm and dignified
20. Bearing; manner
22. TV equivalent of an Oscar

SOLUTIONS®

Over 200 puzzles

Page 1

```
F E T E . R E D O L E N T
. Y . M . E . E . E . E
V E R B A L . P U M P E D
. O . A . I . O . O
S P A R . C A S A N O V A
. E . G . I . . . O
U N F O R G E T T A B L E
. E . . U . . N . U
I R R I T A T E . D I N G
. . N . R . N . R . T
V E N D E D . T R O J A N
. T . I . E . E . I . R
L A V E N D E R . D A Y S
```

Page 4

```
C E N S O R S . I N E P T
. X . T . I . V . O . U
A P P R O P R I A T E L Y
. E . U . E . O . . S
O R I G I N A L . T H A I
. T . G . . E . H . R
. . P L A N E T A R Y
. F . E . U . . E . A
G I G S . R E A D A B L E
. E . S . L . T . B
F R I N G E B E N E F I T
. C . A . S . P . N . O
B E R Y L . C H A S I N G
```

Page 2

```
A . A . L . . C . E . . U
P U N J A B I . O A S E S
R . O . T . L . U . T . E
I A N . H I L A R I O U S
C . E . U . S . N
O S C A R . S P E C I E S
T . R . T . . A . I
S H A D I E R . L I N E D
. S . N . A . A . . E
U N H E A L T H Y . S O W
P . I . R . E . O . O . A
T A N G O . D O U G H T Y
O . G . W . . T . O . S
```

Page 5

```
D . B . Y . S . B . F . G
E R A S E . T O R P E D O
G . D . T . A . E . T . L
R E B U I L T . A W A R D
E . L . . I . K . . E
E X O F F I C I O . T I N
. . O . A . . U . H
R H D . I M P A T I E N T
E . . T . R . . O . O
M A R C H . O F F E R E D
O . O . F . P . A . E . D
V U L T U R E . C A M E L
E . L . L . R . E . S . E
```

Page 3

```
R O B O T S . S A C H E T
E . E . R . A . I . A . H
S U B . A M B U L A N C E
E . O . N . A . . D . I
T Y P E S . N O D U L A R
S . . I . D . O . E
. C O M E F O R W A R D
. . V . N . N . N . . D
B R E A T H S . R A D A R
L . R . . H . I . O . O
U N L O C K I N G . Z I G
E . A . P . P . H . E . U
S U P P L Y . S T A N C E
```

Page 6

```
. G I V E A N D T A K E
S . K . N . A . E . N . S
E L E C T R I C S H O C K
P . . R . L . T . W . A
I S O L A T E S . G L U T
A . U . N . D . E . E . E
. T R A C K . S T U D Y
A . S . E . P . C . G . W
C H E F . A L T E R E G O
H . L . T . A . T . . R
E N V I R O N M E N T A L
D . E . E . E . R . T . D
. E S S E N T I A L L Y
```

Page 7

```
F L Y I N G ■ B E L O N G
■ I ■ V ■ R ■ E ■ U ■ I
U N D O ■ I N T A N D E M
■ K ■ R ■ N ■ H ■ A ■ C
L A D Y G A G A ■ T H E M
■ G ■ ■ N ■ T ■ I
S E A L E D ■ A R C A D E
■ ■ O ■ B ■ S ■ E
G A N G ■ E D I T I O N S
■ L ■ I ■ A ■ T ■ N ■ I
S P E C T R U M ■ D A Z E
■ H ■ A ■ I ■ A ■ I ■ E
B A L L O T ■ Y E A R N S
```

Page 10

```
B I C E P S ■ V I S I O N
I ■ E ■ U ■ A ■ N ■ C ■ O
N I L ■ B E G I N N E R S
A ■ E ■ L ■ O ■ ■ B ■ E
R A B B I ■ R E V I E W S
Y ■ ■ S ■ A ■ O ■ R ■
■ A R C H I P E L A G O ■
■ E ■ E ■ H ■ U ■ ■ Z
I M P A S T O ■ N A S T Y
O ■ O ■ ■ B ■ T ■ O ■ G
T U R N S T I L E ■ L E O
A ■ T ■ H ■ A ■ E ■ I ■ T
S Y S T E M ■ D R E D G E
```

Page 8

```
■ O U T C R O P ■ S C U D
N ■ N ■ O ■ W ■ F ■ L ■ U
O T T O M A N ■ A B E T S
T ■ I ■ M ■ E ■ I ■ A ■ T
H A L V E ■ R E T U R N ■
I ■ ■ R ■ S ■ A ■ E ■ R
N O V I C E ■ S C A R C E
G ■ I ■ I ■ S ■ C ■ ■ V
■ O C T A V E ■ O Z O N E
E ■ E ■ L ■ I ■ M ■ N ■ N
R U R A L ■ Z A P P I N G
G ■ O ■ Y ■ E ■ L ■ C ■ E
O N Y X ■ A D V I S E S ■
```

Page 11

```
G H E E ■ D E G R A D E S
■ O ■ Q ■ E ■ R ■ N ■ S
M I S U S E ■ A M I D S T
■ P ■ A ■ M ■ P ■ M ■
C O O T ■ S C H N A P P S
■ L ■ O ■ ■ I ■ ■ R ■
C L A R I F I C A T I O N
■ O ■ ■ I ■ A ■ S ■
M I D N I G H T ■ I T E M
■ ■ A ■ U ■ A ■ L ■ C
B A D G E R ■ C H O R U S
■ L ■ A ■ E ■ K ■ R ■ T
B I R T H D A Y ■ S U E T
```

Page 9

```
■ A S T E R ■ V U L C A N
S ■ W ■ Y ■ B ■ N ■ Y ■ O
P R E F E R R E D ■ N E D
A ■ E ■ W ■ I ■ E ■ I ■ E
S U P R A ■ L Y R I C S ■
M ■ ■ S ■ L ■ ■ A ■
■ T E C H N I C A L L Y
■ M ■ ■ A ■ B ■ ■ S
■ O B T A I N ■ A V E R T
S ■ R ■ I ■ T ■ N ■ N ■ R
T B A ■ M E L O D R A M A
A ■ C ■ E ■ Y ■ O ■ C ■ Y
G R E E D Y ■ U N I T Y
```

Page 12

```
A B S O R B ■ C L E A N S
■ L ■ C ■ U ■ H ■ T ■ O
B O O T ■ B A R C H A R T
■ W ■ E ■ O ■ O ■ I ■ S
C O T T O N O N ■ C H E R
■ U ■ ■ I ■ O ■ A ■
A T O M I C ■ L O L L O P
■ ■ A ■ P ■ O ■ ■ W
A S K S ■ L I G A M E N T
■ A ■ T ■ A ■ I ■ O ■ G
A L L E R G I C ■ U F O S
■ S ■ R ■ U ■ A ■ N ■ A
H A S S L E ■ L A T E L Y
```

Page 13

```
. S T I C K T O . O B E Y
S . W . R . H . . A . O
P R E C I S E . I D L E D
I . R . T . S . N . A . A
K U K R I . I O D I N E .
I . . C . S . U . C . F
N A P K I N . G E N E V A
G . U . Z . U . C . . I
. B R A I N S . O C C U R
L . P . N . E . U . A . E
A L O N G . F O R E S T S
C . S . . . U . S . E . T
K N E W . A L R E A D Y .
```

Page 14

```
C . R . R . S . N . O . G
E L E M E N T . A U D I O
D . S . V . U . I . E . O
E X T R A . D E V I S E D
D . O . M . . E . . B
. C R Y P T O G R A P H Y
C . E . . U . . A . E
A B S O L U T E Z E R O .
P . . E . O . A . U
A D V A N C E . M O D E S
B . I . S . A . B . I . U
L U C R E . T R I G G E R
Y . E . S . S . E . M . P
```

Page 15

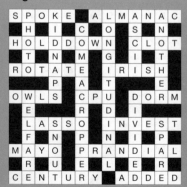

```
S P O K E . A L M A N A C
. H . I . C . O . S . N
H O L D D O W N . C L O T
. T . N . M . G . I . T
R O T A T E . I R I S H .
. . P . A . T . . E
O W L S . C P U . D O R M
. E . . R . D . I .
. L A S S O . I N V E S T
. F . N . P . N . I . P
M A Y O . P R A N D I A L
. R . U . E . L . E . R
C E N T U R Y . A D D E D
```

Page 16

```
. S P I T S . S K I P I T
P . I . Y . C . N . R . H
S A X O P H O N E . E . Y E
Y . I . H . N . L . T . Y
C R E D O . F O L D E R .
H . . O . O . . . N .
. S T U N G R E N A D E .
. R . . M . O . . H
M U E S L I . W A S T E
B . M . E . S . H . H . L
I M P . C A T H E D R A L
N . E . T . S . R . U . O
D E T E S T . V E R B S .
```

Page 17

```
. F . Y . D . R . F . L
R O M A J I . A G R E E D
. G . N . F . D . A . M
F L A K . F A I R G A M E
A . . E . U . M . A
E M B A R R A S S E D .
. P . R . . . N . R
. G R A N D F A T H E R
S . A . O . I . . N
P L A N T I N G . B E E P
Y . G . S . H . A . W
A L L E G E . T A R G E T
Y . D . S . S . K . D
```

Page 18

```
F . I . U . S . C . V . F
L A N E S . A S O C I A L
E . S . S . F . N . A . O
E M P O R I A . F O L I O
C . E . . . R . E . . D
E U C H A R I S T . S I S
. T . C . . T . Q .
S O S . A T T R I B U T E
T . D . H . . A . L
A L O N E . O P P O S E D
N . P . M . U . I . H . E
D O T T I N G . S E E D S
S . S . C . H . A . D . T
```

Page 19

Page 22

Page 20

Page 23

Page 21

Page 24

Page 25

Page 28

Page 26

Page 29

Page 27

Page 30

Page 31

```
S T A T E D   R E I G N S
  H   O   E   E   N   E
T R A Y   T E A C H E R S
  O   E   E   R   E   D
W A N D E R E R   R U S E
  T     I   A   I
E S K I M O   N O T I F Y
    N   R   G     A
D A B S   A D E Q U A T E
D   I   T   M   R   I
D I S G U I S E   B O G S
E   H   O   N   A   U
B U T T O N   T I N S E L
```

Page 34

```
C H A I N S   I B E R I A
L   D   A       A   S   M
O W N   P R E S C R I B E
S   A   E   M   T     N
E M U S   A P P E A R E D
T   S   N   L   R   E   S
    E C O N O M I E S
O   A   R   Y   A   P   S
T O M A T O E S   J O K E
H     H   E   E   N   A
E X P R E S S E D   S O T
R   A   R     A   E   E
S I L E N T   A M U S E D
```

Page 32

```
N O U R I S H   A B A C K
  N   E   T   J   O   L
S E L F M O T I V A T E D
  D   E   I   G     V
M A T R I C E S   B E E N
  Y   R     A   A   R
    D I R T Y W O R K
  E   N   W     N   D
S N A G   E M B E D D E D
  C   N   I   A   B
D A U G H T E R I N L A W
  M   E   Y   C   C   S
S P E L L   T H I E V E S
```

Page 35

```
C H E A P   S C A T T E R
  I   L   R   I   W   N
E N G I N E E R   A R C H
  D   A   C   C   N   O
F I A S C O   U R G E D
    E   G   M     E
I C E S   N O S   D U S K
  A     I   T   E
  B L I T Z   A I D I N G
  I   N   A   N   U   E
I N O N   B I C Y C L E S
  E   E   L   E   E   D
S T A R R E D   O D I S T
```

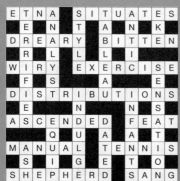

Page 33

```
E T N A   S I T U A T E S
  E   N   T   A   N   K
D R E A R Y   B I T T E N
  R   L   L   L   I
W I R Y   E X E R C I S E
  F   S     A     E
D I S T R I B U T I O N S
  E     N     N   S
A S C E N D E D   F E A T
    Q   U   A   A   T
M A N U A L   T E N N I S
  S   I   G   E   T   O
S H E P H E R D   S A N G
```

Page 36

```
A   E   F     S   T   I
I D Y L L I C   P O R E S
R   E   O   O   E   O   L
E D D   P E R S E C U T E
D     P   R   C   B
A L L E Y   E C H E L O N
L   O   L     E   U
E X O T I C A   R O S T I
  P   R   T   E     S
E T H I O P I A N   M Y A
A   O   N   O   A   A   N
S O L V E   N U M E R I C
T   E   D   E   E   E
```

```
I N T H E L O N G R U N ■
N ■ O ■ E ■ C ■ O ■ K ■ I
A V A I L ■ C H I M E I N
R ■ D ■ S ■ U ■ N ■ ■ S
T O S H ■ P R E G N A N T
I ■ T ■ R ■ S ■ S ■ P ■ A
C L O S E D ■ C O M P E L
U ■ O ■ G ■ P ■ N ■ E ■ L
L O L L I P O P ■ A N N A
A ■ ■ S ■ U ■ M ■ D ■ T
T I B E T A N ■ I R A Q I
E ■ E ■ E ■ D ■ R ■ N ■ O
■ E V E R Y S O O F T E N
```

```
W E R E ■ P U B L I C L Y
■ N ■ V ■ A ■ R ■ T ■ I
A G R E E S ■ I N C H E S
■ I ■ R ■ H ■ G ■ H ■
O N C E ■ A N A L Y S I S
■ E ■ S ■ D ■ ■ N
G E T T H E M E S S A G E
■ R ■ M ■ P ■ E
A S I T W E R E ■ O W N S
■ ■ H ■ R ■ V ■ N ■ E
L I K I N G ■ A B S U R D
■ N ■ N ■ E ■ D ■ O ■ A
L A R G E S S E ■ R E L Y
```

```
■ A W F U L L Y ■ O B O E
C ■ A ■ N ■ O ■ T ■ A ■ N
O D D N E S S ■ E B B E D
N ■ E ■ M ■ I ■ M ■ Y ■ S
F E D U P ■ N I P P L E ■
I ■ ■ L ■ G ■ E ■ O ■ M
R A T I O S ■ O R A N G E
M ■ H ■ Y ■ I ■ A ■ ■ A
■ F I L M I C ■ T E A M S
I ■ R ■ E ■ I ■ U ■ S ■ U
B I S O N ■ C A R R I E R
I ■ T ■ T ■ L ■ E ■ A ■ E
S A Y S ■ C E A S I N G
```

```
A ■ V ■ C ■ U ■ H ■ R ■ G
C L A S H E S ■ E P O C H
T ■ L ■ U ■ E ■ I ■ A ■ A
O T H E R ■ R E G A R D S
N ■ A ■ C ■ ■ H ■ ■ T
■ A L P H A B E T I C A L
E ■ L ■ ■ A ■ ■ O ■ Y
D E A T H W A R R A N T ■
U ■ A ■ ■ E ■ T ■ Y
C O L D W A R ■ T H E T A
A ■ I ■ A ■ A ■ O ■ N ■ C
T E M P I ■ S T R E T C H
E ■ P ■ I ■ P ■ T ■ S ■ T
```

```
L I B E R T Y ■ W A G O N
■ R ■ X ■ U ■ O ■ W ■ U
C O M P A T I B I L I T Y
■ N ■ R ■ T ■ S ■ ■ P
L I F E T I M E ■ G L U M
■ C ■ S ■ ■ S ■ E ■ T
■ ■ A S S E S S I N G
R ■ E ■ S ■ ■ T ■ P
T E D S ■ C Y R I L L I C
J ■ ■ R ■ E ■ E ■ C
R E I N F O R C E M E N T
■ C ■ I ■ W ■ A ■ A ■ I
S T O M A ■ S P I N A C H
```

```
C ■ O ■ K ■ S ■ S ■ L ■ C
A B B E Y ■ C R U C I A L
M ■ T ■ A ■ A ■ P ■ R ■ O
P H A N T O M ■ E X A C T
U ■ I ■ ■ P ■ R ■ ■ H
S E N S I T I V E ■ C U E
■ E ■ M ■ ■ G ■ R ■
M U D ■ P O I S O N I N G
O ■ ■ R ■ N ■ ■ T ■ O
D I S C O ■ P R O F I T S
I ■ E ■ V ■ U ■ U ■ C ■ P
F U L L E S T ■ S T A T E
Y ■ F ■ D ■ S ■ T ■ L ■ L
```

Page 43

```
  R   A   D       T   D       M
D O C T O R       E R A S E D
  S   O   A   N   Y       D
S T E P       F O U R T E E N
  E       T   T       O   A
C R O S S S W O R D S
  S   C               A   F
    G O L D E N S Y R U P
  F   T   E   O           S
P O S T C A R D       R E I N
  R   I   L   O   E   L
P U R S U E       F R E E L Y
  M   H   R   F   K       I
```

Page 44

```
U S E R S       M I S R E A D
  N   E   C   N   O       R
C O N F R O N T       M I T T
  O   I   M   E   A       I
E P O N Y M       R A N K S
      E   E   C           T
A C E S       N C O   A P S E
  A       T   N   D
  V O I L A       N A V I E S
  A   M   T   E   I       L
S L A P       O C C A S I O N
  R   E   R   T   E       P
E Y E L A S H       O D D E R
```

Page 45

```
E V E N T S       S P R A N G
  R   N   A       U   H   R
R E V       S U P E R V I S E
  A   I   K   R   S       A
N E S T       R E Q U E S T S
  T   A   I   S   I   U   Y
      G U N R U N N E R
D   E   C   M   G   R       M
R E S T R A I N       L O G O
  I       E   N   W   U   A
N O S T A L G I A       N U N
  K   I   S           S   D   E
S E X T E T       P H A S E D
```

Page 46

```
L I E D       E X T R A C T S
  N   E   N   Y   M       I
U N C L A D       P R I N C E
  E   I   E   E   G
O R A L       D I S S O L V E
  T   A           E       I
A U T H O R I T A T I V E
  B       E           A   A
R E T R A C T S       R A C E
      E   K   A   G       I
P S E U D O       C R E D O S
  A   S   N   K   T   U
E X P E N S E S       S A S S
```

Page 47

```
T   A   E   A   G   R       A
I N T O W       C L O T H E S
S   O   E   T   L   E       S
S A M U R A I       F R A M E
U   B       O   C           S
E M O T I O N A L       E M S
    M   N       U   S
D O B       D A T A B A S E S
O       U   A           E   I
O P T I C       O R I E N T S
W   U   I   I   O   C       T
O F F E N D S       T H E R E
P   T   G   M   A   S       R
```

Page 48

```
  F   S   A   S   F       U
C A L L E R       C H O O S E
  S   I   A   R   R       I
S H O T       B R I N G I N G
  I       I   P   I       G
C O N S E C U T I V E
  N   T           E       I
    H A I R R A I S I N G
  K   R   E   N           V
P E N T A G O N       D U E S
  Y   I   R   O   R       N
M E A N I E       Y E A S T Y
  D   G   T   S   B       S
```

225

```
. E V I C T . P E B B L E
A . O . O . S . T . R . A
G O T H R O U G H . A D S
A . E . R . R . E . V . Y
T A S T E . R E R E A D .
E . . C . O . . D . . . .
. D E S T R U C T I O N .
. M . . N . R . . . W . .
. A B O A R D . I N C U R
C . A . M . I . V . H . I
U M S . B O N V I V A N T
R . S . E . G . A . F . E
B U Y E R S . C L I F F .
```

```
A S S E R T S . P O L A R
. T . Q . R . S . C . N .
M A N U F A C T U R I N G
. G . I . I . E . . . A .
R E S P O N S E . A B L Y
. S . P . . R . S . S . S
. . D I V E R S I T Y . .
G . N . C . . . E . A . .
P L U G . H U N D R E D S
O . . . O . U . I . V . .
D O U B L E C R O S S E R
. M . O . D . S . K . N .
C Y S T S . W E B S I T E
```

```
. A S S I S T S . S W A G
O . E . N . R . H . O . U
F I R S T L Y . Y A R D S
F . V . E . O . P . R . T
S M E A R . U T O P I A .
E . . V . T . C . E . R .
T E M P E R . B R I D G E
S . A . N . I . I . . L .
. U N I T E S . T R O P E
S . G . I . S . I . M . A
C E L L O . U N C L E A R
A . E . N . E . A . N . N
M U S T . U S E L E S S .
```

```
A . G . W . G . H . Z . R
S E R V I C E . O L I V E
I . E . S . R . T . T . C
D R E A D . M A D E I R A
E . N . O . . . O . . . L
. E T Y M O L O G I C A L
A . E . . . E . . . A . S
D R A M A T I C A L L Y .
H . N . . . . P . E . A .
E P I T O M E . O W N E R
R . B . R . A . L . D . C
E V I T A . C O L L A G E
D . D . K . H . O . R . D
```

```
C A S I N G . G H E T T O
I . A . O . . O . M . R .
T E N . S E C O N D I N G
I . D . E . O . O . . . A
N I P S . I M P R I S O N
G . A . S . P . A . P . S
. . P O T P O U R R I . .
S . E . R . N . Y . N . T
T H R E A T E N . A N K H
O . . T . N . E . A . A .
R E G R E T T E D . K I N
E . U . G . . . G . E . K
S P R A Y S . H E A R T S
```

```
D E C I M A L P O I N T .
I . O . I . A . V . G . U
S Y N O D . D I E D O W N
C . S . I . I . R . . . A
R A T S . M E C H A N I C
I . A . H . S . E . I . C
M A N T E L . T A N G L E
I . T . A . S . D . H . P
N O S E D I V E . S T A T
A . . A . E . F . C . A .
T O P I C A L . A D L I B
E . A . H . T . I . U . L
. I M P E N E T R A B L E
```

Page 55

Page 58

Page 56

Page 59

Page 57

Page 60

Page 61

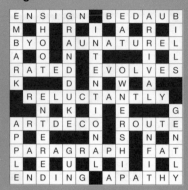

Page 64

Page 62

Page 65

Page 63

Page 66

Page 67

Page 70

Page 68

Page 71

Page 69

Page 72

Page 73

Page 76

Page 74

Page 77

Page 75

Page 78

Page 79

Page 82

Page 80

Page 83

Page 81

Page 84

Page 91

Page 92

Page 93

Page 94

Page 95

Page 96

Page 97

Page 100

Page 98

Page 101

Page 99

Page 102

Page 103

Page 106

Page 104

Page 107

Page 105

Page 108

Page 109

```
S H . M . E M . M . S .
T R I B E . D I A L E C T
U . S . N I . H . W . E
D I S T U R B . A B L E R
I . Y . . L . . R . . E
O F F C A M E R A . T O O
. . I . D . . N . H . .
S A T . M I S D I R E C T
O . . I . A . . O . . A
C R O A T . F I D D L E S
I . A . T . E . O . O . T
A P T N E S S . V A G U E
L . S . D . T . E . Y . S
```

Page 110

```
S . P . L . . P . E . R
C O U L O M B . R E T R O
I . T . A . U . O . E . A
E F T . D E L I V E R E D
N . . E . L . E . . N . .
C R E E D . T E N D I N G
E . X . . E . . . T . R
S C H O L A R . M A Y B E
. . A . E . R . I . . . A
E D U C A T I O N . J E T
T . S . V . E . I . O . E
C U T I E . R E M A I N S
H . S . S . S . A . N . T
```

Page 111

```
. C A L C I U M . A C H E
M . N . E . N . . H . R .
E A G E R L Y . O M I T S
S . R . T . O . C . N . E
S T Y L I . K I C K E D .
A . . F . E . U . S . L
G L O R I A . B R E E Z E
E . P . C . G . R . . . T
. D E F A M E . E X A L T
W . N . T . N . N . R . I
A W A R E . D E C A G O N
R . I . . E . E . U . G
P A R K . C R O S S E D .
```

Page 112

```
P U R I T Y . M A Y H E M
U . E . U . . C . A . O
Z A P . S H O R T E N E D
Z . R . K . V . I . . E
L E E K . S E R V I C E S
E . S . S . R . A . O . T
. . E S C A L A T O R . .
A . N . H . O . E . R . O
B Y T H E W A Y . D E E D
I . . D . D . I . C . D
D I S C U S S E D . T A I
E . R . L . . . O . E . T
S L O W E D . G L A D L Y
```

Page 113

```
. J . A . R . C . S . C
B E E T L E . A S H R A M
A . E . S . T . U . N .
P L A N . C R E A T I O N
O . . U . R . D . E . .
S U P P R E S S I O N . .
. S . R . . . . W . I .
. F O R G I V E N E S S
A . P . R . I . . . S
A B S O L U T E . L A U D
A . S . M . W . I . I
A S L E E P . E X P A N D
H . D . Y . D . S . G
```

Page 114

```
. A S I N I N E . P R I M
E . L . E . O . E . E . A
S T A G G E R . N A V A L
S . N . O . M . V . E . E
E I G H T . A N I M A L
N . . I . L . R . L . O
C E L L A R . C O U S I N
E . A . T . E . N . . A
. I N F I R M . M A T C H
A . T . O . E . E . W . I
Q U E E N . R A N G I N G
U . R . S . G . T . R . H
A R N E . W E A S E L S
```

236

Page 115

```
B U D G E T ■ F U L L U P
L ■ A ■ N ■ I ■ M ■ I ■ O
U R N ■ C A M P A I G N S
R ■ D ■ O ■ P ■ ■ ■ H ■ E
B A Y O U ■ L O C A T E D
S ■ ■ ■ R ■ I ■ O ■ E ■ ■
■ A D V A N C E M E N T ■
■ O ■ G ■ A ■ P ■ ■ ■ A ■
S L O W E S T ■ R I S K S
M ■ M ■ ■ ■ I ■ I ■ C ■ C
O M I S S I O N S ■ O D E
K ■ N ■ U ■ N ■ E ■ U ■ N
E A G L E S ■ E D I T E D
```

Page 118

```
O ■ U ■ R ■ ■ I ■ G ■ A
B I G G E S T ■ N E A R S
S ■ L ■ S ■ R ■ D ■ L ■ H
C A Y ■ I M A G I N A R Y
U ■ ■ D ■ N ■ G ■ C ■ ■
R I D G E ■ S C O O T E R
E ■ R ■ ■ P ■ ■ ■ I ■ E
S H A M P O O ■ J A C O B
■ ■ I ■ A ■ R ■ U ■ ■ ■ U
C O N D U C T E D ■ C H I
A ■ I ■ P ■ E ■ G ■ O ■ L
V E N U E ■ D I E H A R D
E ■ G ■ R ■ ■ ■ S ■ L ■ S
```

Page 116

```
■ B R I D E G R O O M S ■
R ■ H ■ W ■ U ■ R ■ O ■ I
A M U S E ■ A R A B I A N
C ■ B ■ L ■ R ■ C ■ S ■ V
E N A B L E D ■ L A T K E
M ■ R ■ ■ ■ I ■ E ■ ■ ■ S
E M B A R R A S S M E N T
E ■ ■ ■ E ■ N ■ ■ ■ M ■ M
T I A R A ■ A P P R O V E
I ■ P ■ L ■ N ■ A ■ T ■ N
N U R S I N G ■ E X I S T
G ■ O ■ Z ■ E ■ A ■ O ■ S
■ U N D E R L I N I N G ■
```

Page 119

```
W A S T E D ■ V I S U A L
E ■ H ■ L ■ ■ C ■ T ■ E
E C O ■ A U D I E N C E S
K ■ R ■ N ■ I ■ C ■ ■ ■ S
L E T S ■ E S P R E S S O
Y ■ H ■ S ■ T ■ E ■ P ■ N
■ ■ A L T E R N A T E ■
C ■ N ■ A ■ A ■ M ■ C ■ J
R E D I R E C T ■ L I M A
I ■ ■ T ■ T ■ T ■ U ■ M ■ R
S U C C E S S O R ■ E G G
I ■ O ■ R ■ ■ ■ G ■ N ■ O
S P O U S E ■ P E R S O N
```

Page 117

```
S C A D S ■ A C C R U A L
■ O ■ E ■ A ■ I ■ I ■ N
S U F F E R E R ■ C A N E
■ N ■ E ■ I ■ C ■ C ■ O
S T R A Y S ■ U N I F Y ■
■ ■ T ■ T ■ I ■ ■ ■ E
R I P S ■ O C T ■ C O D A
■ S ■ ■ C ■ B ■ A ■ ■
■ L O W E R ■ O C U L A R
A ■ H ■ A ■ A ■ T ■ L
S M E E ■ T E R R I B L E
I ■ R ■ I ■ D ■ O ■ O
S C I E N C E ■ K N O W S
```

Page 120

```
■ S ■ F ■ P ■ R ■ C ■ B
B I K I N I ■ E V O K E D
■ S ■ L ■ S ■ B ■ M ■ A
A T O M ■ C H O P P I N G
■ E ■ ■ ■ E ■ Z ■ L ■ S
C R A F T S W O M A N ■
■ S ■ E ■ ■ ■ ■ ■ I ■ I
■ ■ R E S T R A I N I N G
■ M ■ D ■ R ■ U ■ ■ ■ V
G A R B L I N G ■ S N O W
N ■ A ■ A ■ U ■ L ■ K
F I S C A L ■ S H A K E N
■ A ■ K ■ S ■ T ■ Y ■ S
```

Page 121

B	L	O	C		T	V	S	C	R	E	E	N
	I		H		E		A		U		W	
E	F	F	A	C	E		T	A	L	K	E	D
	E		N		T		A		E			
I	S	D	N		H	U	N	T	D	O	W	N
	T		E			I					I	
B	Y	A	L	L	A	C	C	O	U	N	T	S
	L			L				P		H		
R	E	L	A	T	I	V	E		D	U	D	E
		N		G		A		A		A		R
S	L	O	G	A	N		R	I	T	U	A	L
	A		E		E			N		E		W
E	X	C	L	U	D	E	S		S	O	S	O

Page 124

	S	L	I	D	E		R	O	B	U	S	T
P		I		R		L		A		N		A
S	U	F	F	E	R	E	R	S		D	I	P
A		T		S		G		I		E		S
L	A	S	T	S		I	N	S	E	R	T	
M			E		S			S		G		
	C	O	N	S	O	L	A	T	I	O	N	
	M			A		R						A
	D	I	R	E	C	T		E	L	B	O	W
G		T		L		U		A		A		A
A	L	T		F	O	R	E	C	A	S	T	S
S		E		I		E		L		I		H
H	I	D	I	N	G		M	E	S	S	Y	

Page 122

D	I	N	I	N	G		S	P	A	R	E	S
E		A		E		C		I		E		P
R	I	M		W	A	L	L	P	A	P	E	R
I		E		C		E		L		I		I
V	I	D	E	O		A	M	A	Z	I	N	G
E			M		R		D		C			
	W	A	K	E	T	H	E	D	E	A	D	
	C		R		E		R				A	
F	U	C	H	S	I	A		E	D	I	T	S
O		O			D		S		M		T	
S	T	R	E	A	M	E	R	S		P	I	E
S		D		P		D		E		L		R
E	N	S	U	R	E		K	E	N	Y	A	N

Page 125

A	L	B	U	M	S		S	T	R	O	K	E
B		L		E			U		L		C	
S	P	A		T	W	E	N	T	I	E	T	H
E		C		E		N		O				O
N	U	K	E		S	H	O	R	T	A	G	E
T		M		S		A		I		N		S
		A	T	T	E	N	D	A	N	T		
R		I		A		C		L		H		L
E	C	L	E	C	T	I	C		H	O	B	O
H		C		N		I		I		L		U
E	X	C	H	A	N	G	E	D		O	E	D
A		U		T				O		G		E
T	A	T	T	O	O		P	L	A	Y	E	R

Page 123

S	T	A	S	H		M	U	N	D	A	N	E
	H		W		B		N		U		U	
R	E	V	E	N	U	E	S		M	A	M	A
	M		A		R		U		M		E	
K	E	T	T	L	E		C	O	Y	E	R	
		E		A		C		S			A	
T	R	O	D		U	A	E		B	A	L	M
E			C		S		R					
	W	A	G	E	R		S	L	E	E	P	S
	R		O		A		F		A		I	
B	I	F	F		T	R	U	S	T	I	N	G
	T		E		I		L		H		E	
B	E	D	R	O	C	K		H	E	I	S	T

Page 126

P	L	O	T		E	N	V	I	S	A	G	E
	U		H		A		O		M		A	
A	D	J	U	S	T		L	I	A	B	L	E
	I		N		U		C		R			
A	C	E	D		P	H	A	R	M	A	C	Y
	R		E			N					A	
C	O	R	R	E	S	P	O	N	D	I	N	G
	U		T					U		E		
E	S	C	A	P	I	N	G		B	U	S	T
		N		L		U		I		U		
S	P	I	G	O	T		T	R	O	U	G	H
	E		E		O		S		U		A	
W	A	R	R	A	N	T	Y		S	O	R	T

Page 127

	D	A	M	A	G	E	D		S	T	U	B
P		B		C		A			A		A	
S	L	U	I	C	E	S		E	A	R	T	H
Y		S		L		I		M		T		T
C	H	E	L	A		N	I	B	B	L	E	
H			M		G		A		E		G	
E	X	T	R	A	S		B	R	U	T	A	L
D		Y		T		H		R				I
	U	P	S	I	D	E		A	P	A	R	T
O		I		O		A		S		R		T
B	A	C	O	N		D	I	S	P	O	S	E
I		A				O		E		M		R
T	O	L	L		U	N	U	S	U	A	L	

Page 130

O	P	I	U	M		J	A	M	A	I	C	A
	L		N		U		L		C		R	
R	A	T	I	O	N	A	L		T	R	U	E
	C		F		C		O		O		I	
M	E	D	I	C	O		F	A	R	M	S	
		E		N		A					E	
W	E	E	D		V	I	S		S	A	S	H
	X				I		U		M			
	C	O	L	O	N		D	H	A	R	M	A
	L		A		C		D		L		A	
D	U	E	T		I	D	E	O	L	O	G	Y
	D		I		N		N		E		I	
T	E	E	N	A	G	E		F	R	O	C	K

Page 128

R		M		S		G		S		P		A
E	L	A	T	E		A	P	P	E	A	R	S
C		N		M	R			R		R		S
O	C	A	R	I	N	A		A	G	R	E	E
U		G			G		Y					T
P	R	E	S	I	D	E	N	T		W	A	S
		R		M			A		H			
S	I	S		P	O	T	E	N	T	I	A	L
C			O		H			S		A		
R	E	F	E	R		R	O	T	A	T	E	D
E		A		T		A		E		L		L
W	A	N	D	E	R	S		R	E	E	V	E
S		G		D		H		M		S		S

Page 131

R	E	C	O	I	L		C	U	R	S	O	R
E		L		N		E		G		I		A
M	R	I		T	O	U	G	H	E	N	E	D
O		C		E		P				C		O
T	A	K	E	R		H	A	S	B	E	E	N
E				V		E		T		R		
	S	U	P	E	R	M	A	R	K	E	T	
	T		N		I		A					D
L	E	T	T	E	R	S		T	R	A	C	E
O		E			T		E		L		A	
T	H	R	U	S	T	I	N	G		T	A	T
T		L		E		C		I		A		H
O	X	Y	G	E	N		S	C	O	R	E	S

Page 129

	C		L		W		H		R		H	
A	R	G	A	L	I		O	B	E	Y	E	D
	I		S		T		R		S		R	
S	T	E	T		H	A	N	G	E	R	O	N
	I				I		E		A		N	
A	C	U	P	U	N	C	T	U	R	E		
	S		R					C		T		
		C	O	M	E	T	O	A	H	E	A	D
S		V		L		P			L			
I	N	D	I	R	E	C	T		M	A	K	E
	A		D		C		I		O		I	
A	C	C	E	P	T		O	G	L	I	N	G
	K		D		S		N		E		G	

Page 132

E		B		V		S		E		F		K
P	A	Y	M	E	N	T		M	A	O	R	I
I		D		C		U		B		C		D
C	H	E	A	T		M	A	R	T	I	A	N
S		S		O				Y				E
	M	I	C	R	O	B	I	O	L	O	G	Y
A		G				E				V		S
M	I	N	E	R	A	L	W	A	T	E	R	
I			U			U		R		S		S
A	R	R	E	S	T	S		P	I	L	O	T
B		E		H		L		A		O		A
L	O	D	G	E		U	N	I	F	O	R	M
E		S		S		M		R		K		P

Page 133

```
L E A P   A N C E S T O R
  S   O G   O   M   W
A S T R A L   V I A B L E
  E   T   O   E   S
A N N E   W O R S H I P S
  T   R   U       R
B I T S A N D P I E C E S
  A     E     N   T
O L Y M P I C S   G R E W
    A   T   I   L   N
L A U N C H   G R I N D S
  N   G   E   H   S   E
A U T O C R A T   H I D E
```

Page 134

```
  B R A I L L E   W A R T
A   I   N   A   N   M   A
T I G H T L Y   E X A M S
F   H   E   I   U   T   S
A L T E R   N E R V E S
U   L   G   O   U   F
L I Q U O R   P L U R A L
T   U   C   A   O     A
  W I C K E D   G O W N S
S   B   I   V   I   R   H
C A B I N   I N C L I N E
A   L   G   C   A   S   S
R E E F   D E P L E T E
```

Page 135

```
S W E P T   P A C K A G E
  H   A   C   U   N   E
C O N T R A S T   E O N S
  O   T   L   H   A   E
A P I E C E   E L D E R
    R   N   N       A
S P I N   D D T   D E L L
R     A   I   A
  O L D E R   C O M M I T
  M   R   Y   I   P   D
W I F I   E X T R E M E S
  S   E   A   Y   S   A
F E N D E R S   S T E L A
```

Page 136

```
  C   A   S   F   S   E
B A M B O O   A T H O M E
  T   U   M   T   E   P
K E P T   A C C U R A T E
  R       L   A   L   Y
N E G O T I A T I O N
  D   R           C   E
    F I R E W A L K I N G
  O   E   V   R       G
S T U N N I N G   P H A T
  T   T   C   U   O   G
D E P A R T   E A S T E R
  R   L   S   D   E   D
```

Page 137

```
B U C K E T   C O U R T S
Y   O   X   H   F   E   A
P E N   I D E N T I C A L
A   G   S   A       Y   V
S H O U T   D E F A C T O
S       E   O   O   L
  T R A N S F E R R E D
  E   C   S   E       A
F I L B E R T   T E N E T
L   A   A   A   A   T
A C T I V A T E S   S K A
M   E   A   E   T   A   I
E R S A T Z   B E R L I N
```

Page 138

```
C   B   H   C   I   G   A
I M A G E   H U N D R E D
T   L   R   A   S   U   V
R E S T O C K   I M B U E
I   A       R   G       R
C O M E A G A I N   Y E T
    I   D       I   A
S A C   H I E R A R C H Y
I       E   X       H   E
T U T O R   C O A S T A L
U   I   I   E   L   I   L
P E D A N T S   L E N T O
S   Y   G   S   Y   G   W
```

```
G I G G L E   A L P A C A
U   E   E     A   H   G
E O N   S T I M U L A T E
S   E   S   N   D     N
T O R N   S C R A P P E D
S   A   T   E   N   R   A
    T A R A N T U L A
S   O   A   T   M   C   T
P A R A N O I D   S T A R
I       S   V   A   I   I
R E C O M M E N D   C U P
A   O   I       A   A   O
L I G H T S   S M I L E D
```

```
R   I   W   S   P   T   F
A N G U I S H   E M A I L
S   N   S   O   S   X   A
P R O B E   O P E N I N G
Y   R   S     T       G
  C A R T E B L A N C H E
D   N     M       O   D
E N T H U S I A S T I C
C     N     H   F   F
O N E S E L F   I N F E R
D   D   A   E   V   E   E
E V I L S   E X E C U T E
D   T   Y   S   R   R   S
```

```
O   T   A     T   E   C
B U I L T I N   H O N E Y
S   E   R   O   I   T   A
E R R   E D W A R D I A N
R     S   H   S   R
V I S I T   E X T R E M E
E   U     R     L   A
D E S P I T E   B U Y E R
  P   N   N   A     L
T E E N A G E R S   P S I
O   C   W   A   E   A   E
P A T T A   R E S U L T S
S   S   Y     T   S   T
```

```
  T   L   C   A   H   T
A R M A D A   R H Y M E D
  A   W   T   T   S   A
S C A N   T R I P T Y C H
  T     L   S   E   H
D O C U M E N T A R Y
  R   N           I   A
    F I N A N C I A L L Y
S   F   L   A       S
R E C Y C L E S   P O O L
R   I   O   T   I   R
M I N N O W   L A N D A U
F   G   S   E   S   N
```

```
T R A C E D   B E I N G S
  E   A   R   I   N   E
S T E M   A N T I D O T E
  I   E   W   E   E   U
A R R O G A N T   P U P S
  E     V   H   T
U S A B L E   E T H I C S
    E   I   B       R
A M A H   L A U N C H E D
  O   A   O   L   A   A
S U R V I V A L   B A T S
  S   E   E   E   L   E
G E Y S E R   T R E N D S
```

```
E C L I P S E   S M I T H
  H   M   C   S   I   A
C O M P R E H E N D I N G
  R   E   N   N       D
F A I R N E S S   E V E S
  L   F       E   X   M
    R E Q U E S T E D
P   C   P       C   D
W A F T   S T I M U L U S
E   E   R   T   E
I L L U S T R A T I O N S
L   S   S   T   O   N
T A B B Y   B E A N B A G
```

```
M   D T   T   O   R   S
A M O U R   R E F R E S H
D   G   E   U   F   P   A
C H E C K I N   E A S E D
A   A     K   N         E
P U R C H A S E D   D J S
    E   O       E   E
R I D   N U M E R I C A L
O     E   I       R   A
C A S T S   M O N K E Y S
O   I   T   O   O   A   T
C I R C L E S   P A S T E
O   S   Y   A   E   E   D
```

```
  J   V   W   M   A   I
F U T I L E   E Q U A T E
  S   E   A   M   G   E
S T O W   P R O G R A M S
  N       O   I   A   S
C O N C E N T R A T E
  W   H           I   U
    D E T E R M I N I N G
Y   S   J   I         A
T A C T L E S S   D E W Y
H   N   C   S   S   O   A
G O B U S T   E N T E R S
O   T   S   D     E   E
```

```
  O N E N E S S   R A I N
D   O   E   C   C   N   A
I N T O U C H   O N T A P
S   E   T   O   N   E   S
C I D E R   O P T I N G
A     A   L   E   N     P
R A T T L E   I M P A I R
D   E   I   P   P       O
  B L A Z E R   O N S E T
C   L   I   E   R   A   E
O R I O N   F R A N T I C
D   N   G   A   R   I   T
E D G Y   O B E Y I N G
```

```
  S P I R I T S   A G A R
S   A   E   H       O   A
U P G R A D E   A R R A Y
R   E   C   O   G   I   S
P O S I T   R A R E L Y
L   I   Y   I   L   L   C
U N H O O K   S C R A W L
S   E   N   C   U       O
  B R E A T H   L O A D S
A   S   R   U   T   L   E
F I E R Y   N E U R O N S
A   L   K   R   U   T
R I F E   A S C E N D S
```

```
T   O   D       C   F   A
R O N D E A U   A M O N G
I   L   E   N   N   R   U
A M Y   P E K I N G E S E
S     L   N   O   C
S C A L Y   O U T R A G E
I   L     W       S   Y
C H I A N T I   B A T H E
  G   A   N   E       S
L A N G U A G E S   C G I
A   I   S   L   I   L   G
S I N C E   Y I D D I S H
S   G   A       E   P   T
```

```
  P R O V I S I O N A L
S   O   I   L   P   F   T
P R E D O M I N A N T L Y
A       L   C   L   E   P
D I A M E T E R   F R E E
E   L   N   D   C   N   D
  F L E C K   T H R O W
W   O   E   L   E   O   P
H O W L   T E R M I N A L
I   A   D   A   I       A
C O N T R A D I C T O R Y
H   C   A   E   A   A   S
  F E A T U R E L E S S
```

Page 151

```
L I S P . F E B R U A R Y
. R . A . I . U . P . U .
E R A S E R . R U S H E D
. I . S . S . R . E . . .
S T O A . T W I T T E R S
. A . G . . T . . . E . .
O B J E C T I O N A B L E
L . . H . . . T . A . .
R E V E R E N D . T O T S
. . D . O . I . R . I .
D O D G E R . R E A S O N
. V . E . E . T . C . N
R A N D O M L Y . T O S S
```

Page 154

```
U R G I N G . K A B U K I
N . E . A . . R . N . N
A N N . V A C A T I O N S
B . T . Y . I . I . . . I
L I L Y . C R Y S T A L S
E . E . F . C . T . R . T
. M E A S U R I N G . .
I . E . B . L . C . O . R
S I N G U L A R . A N T E
L . . L . T . H . A . N
A N D R O M E D A . U S E
N . A . U . . R . T . W
D E M I S E . S P A S M S
```

Page 152

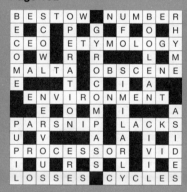

```
B E S T O W . N U M B E R
E . C . P . G . F . O . H
C E O . E T Y M O L O G Y
O . W . R . R . . L . M
M A L T A . O B S C E N E
E . . T . C . I . A . .
. E N V I R O N M E N T .
. . E . O . M . I . . A
P A R S N I P . L A C K S
U . V . . A . A . I . I
P R O C E S S O R . V I D
I . U . R . S . L . I . E
L O S S E S . C Y C L E S
```

Page 155

```
S . O . C . G . M . G . L
C O B B L E R . A G O R A
R . S . I . I . M . B . R
U N C L E . P U M P I N G
B . U . N . . A . . . E
. C R I T I C A L M A S S
S . E . . S . . C . T
P A R T I C I P A N T S .
E . . M . . L . U . A
C R A M P E D . M O A N S
I . C . O . O . O . L . P
A S H E S . R E S O L V E
L . Y . E . Y . T . Y . N
```

Page 153

```
. F . L . I . S . B . C
B A N Y A N . U N R E A D
. I . N . V . P . E . N
F L E X . E V E N T U A L
. U . U . N . R . H . L
F R I G A T E B I R D .
. E . L . . . E . D
. . F O U N T A I N P E N
. B . R . E . T . . C
H E R I T A G E . D A I S
. A . O . T . A . R . D
M U T U A L . S T A Y E D
. X . S . Y . E . W . S
```

Page 156

```
M A I M . G U I D A N C E
. D . U . E . N . L . O
G O D S O N . T W I S T S
. R . T . O . E . G . .
I N K S . A R R A N G E S
. M . E . . I . . V .
D E V E L O P M E N T A L
. N . . A . . . O . L
A T T A C K E D . S C U M
. . D . T . A . I . A
P O W D E R . T R E A T Y
. N . O . E . E . S . E
P O I N T E R S . T I D E
```

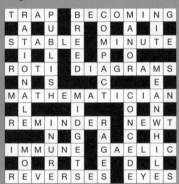

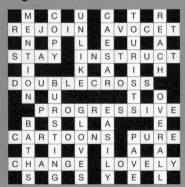

Page 163

Page 166

Page 164

Page 167

Page 165

Page 168

Page 169

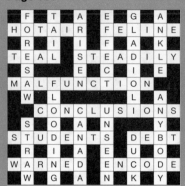

Page 172

Page 170

Page 173

Page 171

Page 174

Page 175

Page 176

Page 177

Page 178

Page 179

Page 180

Page 181

```
  U M B R A   B A S S E S
W   E   E   C   L   A   P
A S S I S T I N G   T O R
R   O   I   R   A   I   Y
M I N E D   C H E R R Y
S     E   U       I
  C O N S U L T A N C Y
    I     A   I       S
  S L I G H T   R O B O T
T   W   U   I   L   L   A
O R E   P R O P O S I N G
A   L   P   N   C   M   Y
D E L A Y S   S K I P S
```

Page 184

```
  S W   J   B   B   R
C I C A D A   A L L I E S
  N   K   G   L   A   S
O G R E   U N L O C K E D
  E     A   E   K   T
F R U S T R A T I O N
  S   P       U   C
    C O M P E T I T I O N
  D   N   U   I       N
P R E S U M E D   B A C K
  E   O   I   I   A   E
F A B R I C   E M I G R E
  M   S   E   S   T   N
```

Page 182

```
C   I   F       O   B   Y
U N D O I N G   B U R K A
L   L   R   E   O   U   R
D R Y   M E N T I O N E D
E     L   E   S   E
S T O R Y   R O T A T E S
A   M     A     T   A
C E N T R A L   D W E E B
    I   U   I   E       O
C I V I L I Z E D   L E T
A   O   E   E   U   O   A
S U R E R   S A C K I N G
K   E   S     E   N   E
```

Page 185

```
D O U B L E D E C K E R
E   T   I   I   H   R   D
V O I C E   S F U M A T O
I   L   N   M   T     W
L A I D   M A R Z I P A N
M   T   I   L   P   R   T
A X I O M S   G A L O S H
Y   E   M   H   H   V   E
C U S T O M E R   W I T H
A     R   A   S   S   A
R E A C T O R   W A I S T
E   L   A   T   A   O   C
  F E E L T H E P I N C H
```

Page 183

```
F   Q   C   A   D   S   H
R O U G H   C L O S E L Y
A   A   U   C   G   R   B
M A R A B O U   O F F E R
E   T     S   O       I
S P E E D R E A D   O L D
    R   A     E   U
B L S   T O L E R A T E D
O     A   A     L   I
T H R O B   M E R G I N G
T   E   A   E   U   N   I
L I A I S O N   S H E E T
E   M   E   T   T   S   S
```

Page 186

```
Z I N C   B A R R I E R S
  N   O   E   A   S   Y
S T O N E S   V A L U E D
  E   M   E   I   E
E L M O   T R O U S E R S
  L   T       L       E
R E V O L U T I O N A R Y
  C       P       O   E
A T H E I S T S   V E A L
    M   I   O   E   D
E N A M E L   B A L T I C
  A   E   O   E   T   N
W H I T E N E R   Y O G A
```

Page 187

Page 190

Page 188

Page 191

Page 189

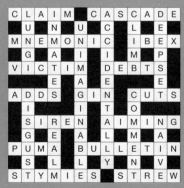

Page 192

Page 193

```
S B U O S S . H
A P R I L . R O U G H L Y
M . E . N . P . C . A . S
P H A R A O H . C O M E S .
L . K . . A . E . . . . O
E L O Q U E N C E . . E S P
. . F . P . . . D . V . .
R E F . S A L E S G I R L .
E . . . T . E . . . D . I
S I G M A . V I O L E N T
U . E . I . E . H . N . T
M O N G R E L . M A C L E
E . T . S . S . S . E . R
```

Page 194

Page 195

Page 196

Page 197

Page 198

Page 205

Page 208

Page 206

Page 209

Page 207

Page 210

Page 211

```
P . D . C . . B . J . N
A M E R I C A . E X U D E
C . E . T . D . A . D . O
K I M . R E J E C T I O N
A . . U . U . O . C . .
G A W K S . D A N C I N G
E . E . I . . . A . . O
D R A S T I C . M O L T O
. K . R . A . O . . . D
C O N S E N T E D . J A N
E . E . A . E . E . U . E
L I S Z T . S C R I M P S
L . S . S . . N . P . S
```

Page 212

```
. R . O . C . P . M . A
R A V A G E . A G E N C Y
. I . T . N . T . R . N
B L A H . S W I T C H E S
. W . . O . N . H . D
C A E S A R S A L A D .
. Y . T . . . N . W
. O U T O F A C T I O N
. C . M . O . N . R
D A Y B Y D A Y . T A R S
R . L . L . H . E . I
S E V E R E . O P E N E D
D . D . S . W . N . S
```

Page 213

```
R I B S . S U P P O S E S
. N . T . L . R . U . X
O T I O S E . E I G H T H
. R . M . E . F . H .
R O M A . P R A C T I C E
. D . C . . C . . . A
B U S H T E L E G R A P H
. C . . X . . E . R
V E R T I C A L . S L I P
. . R . U . A . I . C
V E N U E S . B I G T O P
. A . M . E . E . N . R
P R O P O S A L . S E N T
```

Page 214

```
. O P P R E S S . F O R D
S . L . A . E . M . R . I
T O A S T E R . U N D I D
A . N . I . V . L . E . O
M O T I F . E N T I R E .
P . I . R . I . E . R
E X P E C T . P L E D G E
D . Y . A . O . A . . P
. C R I T I C . T A B L E
A . A . I . C . E . E . A
D U M B O . U P R I G H T
O . I . N . P . A . U . S
S I D E . C Y C L I N G
```

Page 215

```
E . A . B . E . M . W . V
D E S P A I R . A W A K E
I . A . R . A . R . D . S
F E W E R . S U B M I T S
Y . H . E . . L . . . E
. G O I N T O D E T A I L
R . L . . U . . C . S
I N E X P E R I E N C E .
P . . R . . X . O . S
P I T F A L L . I N U I T
I . U . Y . I . T . N . U
N O B L E . E L E C T E D
G . A . D . S . D . S . S
```

Page 216

```
W . F . L . T . S . D . O
A N O D E . H E A V I L Y
R . R . O . R . N . C . S
M E M E N T O . S W E E T
U . E . . . A . K . . E
P A R A M E T E R . S P R
. L . A . . . I . H
B U Y . E Q U A T I O N S
L . . S . N . . C . E
A D M I T . W R E C K E D
N . I . O . I . M . . A
K E E L S O N . M A N A T
S . N . O . D . Y . G . E
```